Léonard de Vinci

Gilles
Seyer

Elke Linda Buchholz

Léonard de Vinci

Sa vie et son œuvre

KÖNEMANN

Jeunesse à Florence

Page 6

1452

1470

1490

1495

Un maître de la peinture
Page 38

Les années troublées
Page 52

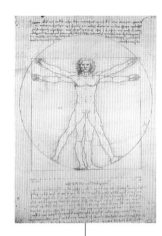

Jeunesse à Florence

Léonard vient au monde dans le petit village de Vinci, non loin de Florence, et passe à la campagne les premières années de sa vie. Le jeune garçon est le fils naturel d'une ouvrière agricole et d'un notaire qui se mariera bientôt avec une autre femme. On ne sait pas quand il a commencé à dessiner et à peindre mais son talent s'est probablement révélé très tôt. En partant pour Florence, son père emmène l'adolescent et confie son apprentissage au peintre et sculpteur Andrea del Verrocchio. Florence, à cette époque capitale artistique de l'Italie, est une ville vivante et ouverte à toute nouveauté. Le jeune Léonard travaille dans l'atelier de son maître mais découvre aussi dans les rues et les églises l'art de la pré-Renaissance. Ses premières œuvres prouvent qu'en peinture l'élève dépasse très vite le maître.

Mohammed II victorieux à Constantinople

David, par Andrea del Verrocchio

1453 Les troupes de Mohammed II, sultan ottoman, prennent Constantinople et détruisent l'empire byzantin.

1455 Début de la guerre des Deux-Roses. La Bible de Gutenberg est le premier livre important à être imprimé.

1469 Laurent de Médicis dit « Le Magnifique » prend le pouvoir à Florence.

1471 Naissance du peintre Albrecht Dürer.

1452 Naissance le 15 avril, à Vinci, dans les environs de Florence, de Léonard, enfant illégitime du notaire Ser Piero et d'une ouvrière agricole, Catarina. La même année, son père épouse une jeune Florentine. Léonard reste chez sa mère qui se marie à son tour quelque temps plus tard.

1457 Léonard vit chez ses grands-parents paternels à Vinci.

1467 Second mariage de son père après la mort de sa femme.

1468 Ser Piero loue une étude à Florence.

1469 Date probable du départ pour Florence de Léonard où il rejoint son père. Début de sa formation dans l'atelier du peintre et sculpteur Andrea del Verrocchio.

À gauche :
L'Annonciation (détail),
vers 1470-1473
Huile et détrempe sur bois
Florence, Galleria degli Uffizi

À droite :
Étude de manche pour l'Annonciation,
vers 1470-1473
Sanguine sur papier
8,5 x 9,5 cm
Oxford, Christ Church

De Vinci à Florence

Le nom de Leonardo da Vinci ne signifie rien d'autre que « Léonard, originaire de Vinci ». Il était fréquent en Italie qu'un patronyme soit dérivé de son antériorité, de son lieu d'origine ou de la profession de ses ancêtres. En ce qui concerne les premiers éléments de la biographie de Léonard, les spéculations vont bon train : il existe bien une ferme soigneusement restaurée à Anchiano, non loin de Vinci et qui serait, selon la tradition, la maison natale de Léonard, mais on n'a jamais pu en apporter la preuve. Son enfance et sa jeunesse ne sont guère mieux connues. Déjà dans les récits qu'on en fit au XVIe siècle, la légende le dispute à la vérité.

Quelques indications dans les registres fiscaux de l'époque permettent de retracer les premières années de son existence. Une notice du grand-père dans le livre généalogique de la famille précise : « 1452. Samedi 15 avril, à trois heures du matin est né mon petit-fils, un fils de mon fils Ser Piero. Il

porte le prénom de Leonardo et a été baptisé par le prêtre Piero di Bartolomeo... » De la mère, nous ne connaissons que le prénom, Catarina ou Caterina. Elle avait 22 ans à la naissance de Léonard. Il ne fut probablement jamais question d'un mariage avec le père de l'enfant, le notaire Ser Piero issu d'une famille notariale entretenant des liens étroits avec Florence. L'année même de la naissance de Léonard, Ser Piero se maria avec une jeune femme issue d'une famille florentine en vue. Léonard resta probablement jusqu'à l'âge

Ci-dessus :
Vue de la ville de Vinci, photographie

La ville natale de Léonard est située à environ 45 km de Florence, dans un paysage vallonné du nord de la Toscane. À l'époque de Léonard, le bourg se composait d'une cinquantaine de maisons. Au centre, le château moyenâgeux abrite aujourd'hui un musée Léonard de Vinci.

Anonyme, d'après Francesco Rosselli, **Florence à la fin du XVe siècle,** Aquarelle Florence, Museo dell'Opera del Duomo

Les clochers, le palais Vecchio et la grande coupole de la cathédrale Santa Maria del Fiore dominent l'étendue des maisons tassées les unes contre les autres.

d'un ou deux ans avec sa mère car le lait maternel était à l'époque la seule nourriture des bébés. Une naissance extra-conjugale n'était pas dans l'Italie du XVᵉ siècle une honte comme ce fut plus tard le cas, mais cela signifiait la plupart du temps pour l'enfant que sa carrière ultérieure ne dépasserait pas le stade de juriste ou de médecin. Léonard, hébergé par la suite chez ses grands-parents, grandit dans leur ferme au contact direct de la nature. Probablement trouve-t-on dans ses expériences de la prime enfance les racines de cet intérêt très fort pour la nature qu'il manifesta toute sa vie durant. Sa formation scolaire se limita à l'apprentissage de la lecture, de l'écriture et du calcul, mais il fit très certainement preuve dès lors d'un don particulier pour le dessin. Lorsque vint le temps de se préoccuper de la formation du jeune garçon, le père se décida à le prendre avec lui à Florence. Il avait à l'époque loué dans le centre de la ville des bureaux pour son cabinet d'avocat, dans l'actuelle via Gondi, derrière le palais Vecchio, l'hôtel de ville. Peut-être avait-il fait, par le biais de ses relations d'affaires, la connaissance d'Andrea del Verrocchio, peintre et sculpteur à la mode, et lui avait-il montré quelques dessins de son fils. Toujours est-il que ce dernier se montra disposé à prendre le jeune Léonard dans son atelier.

Dessin d'un paysage, daté du 5 août 1473,
1473
Dessin à la plume
19 x 28,5 cm
Florence,
Gabinetto dei Disegni e delle Stampe

Les premiers dessins paysagers de Léonard évoquent les paysages dans lesquels il a grandi. Ce dessin n'est pas fait d'après nature mais combine des éléments issus de l'observation et d'une bonne part d'imagination.

Dans l'atelier de Verrocchio

À la fin du XVᵉ siècle, l'atelier d'Andrea del Verrocchio était considéré comme l'un des meilleurs lieux de formation de Florence. Verrocchio, né en 1435, débuta comme orfèvre, avant de se faire un nom en tant que sculpteur et peintre. Ce fut probablement un homme chevronné aux talents multiples tant il sut faire partager à ses élèves son extraordinaire virtuosité technique. Il maîtrisait à la fois la fonte du bronze mais travaillait aussi l'argile et le marbre tout en étant excellent dessinateur et peintre. C'est

La Madone à l'œillet,
1472-1478
Huile sur bois
62 x 74,5 cm
Munich, Bayerische Staatsgemäldesammlung, Alte Pinakothek

On constate dans ce tableau, sans doute l'une des premières œuvres de Léonard, de fortes similitudes avec d'autres œuvres issues de l'atelier de Verrocchio. La couche de couleur bosselée par endroits prouve que Léonard a expérimenté un liant à forte teneur en huile.

Andrea del Verrocchio, **Le Christ et Saint Thomas,**
1467-1483
Bronze
Hauteur : 230 cm
Florence, Orsanmichele

L'apôtre Thomas touche la blessure du flanc du Christ pour se convaincre que le Seigneur est bien ressuscité. Verrocchio créa ce groupe en bronze alors que Léonard était son apprenti. L'artiste s'est attaché à rendre l'impression de mouvement très libre d'un personnage pivotant sur son axe ainsi qu'en témoigne l'attitude de l'apôtre.

dans son atelier que fut créée la lourde boule en bronze doré qui orne la coupole de la cathédrale de Florence, une prouesse technique.

Nous ne savons pas à quelle date exacte Léonard de Vinci intégra la *bottega*, l'atelier, mais ce fut au plus tard à partir de 1469 qu'il commença à travailler avec Verrocchio. Son apprentissage débuta par le broyage des couleurs, la préparation des fonds au plâtre, la modélisation en argile, en un mot, les bases du métier. À côté de la peinture à la détrempe ou tempera à l'œuf utilisée en Italie, il est probable qu'il fut initié, dans cet atelier ouvert aux expérimentations, à la technique de la peinture à l'huile, à l'époque encore nouvelle dans ce pays et qui provenait de la peinture flamande. La *Madone Dreyfus* est la plus ancienne peinture à l'huile exécutée à Florence. Il est probable que les élèves

Andrea del Verrocchio et Léonard de Vinci, **Le Baptême du Christ,** 1473-1475
Huile et tempera sur bois
177 x 151 cm
Florence, Galleria degli Uffizi

Cette toile est un bon exemple du travail en commun de différents artistes dans l'atelier de Verrocchio. On constate cependant des différences de traitement dans les différentes parties de l'œuvre. C'est Verrocchio lui-même qui a commencé l'œuvre puis Léonard l'a poursuivie en peignant l'ange à genoux sur la gauche et en recouvrant le personnage du Christ nu de lasures de couleurs à l'huile. À la différence de celui du baptiste, on note avec quelle vie et quelle légèreté il a modelé le corps du Christ. Le paysage à l'arrière-plan est aussi typique de la peinture de Léonard qui devait alors avoir terminé son apprentissage. Il est aussi probable que Sandro Botticelli, qui a travaillé un certain temps dans l'atelier de Verrocchio, a participé à ce tableau car on reconnaît sa manière dans l'ange de droite.

fréquentant l'atelier de Verrocchio étaient très liés et échangeaient leurs projets ou leurs dessins. Il n'était pas rare qu'une commande fut exécutée par plusieurs élèves à la fois. Aussi est-il aujourd'hui difficile de déterminer qui sont exactement les auteurs des œuvres sorties de l'atelier de Ver-

rocchio. Bien que son apprentissage officiel ait prit fin en 1472, le jeune artiste, alors âgé de 20 ans, resta encore quelques années comme collaborateur chez son maître, dont il était entre temps devenu un collègue de rang égal si ce n'est supérieur.

La pré-Renaissance à Florence

Au XVᵉ siècle, Florence était l'une des villes les plus riches et les plus dynamiques d'Italie. Des marchands venus de très loin et de puissants banquiers y développaient l'art et le commerce. Le premier d'entre eux, Cosme de Médicis, l'un des hommes les plus riches de la ville tenait entre ses mains la réalité du pouvoir politique au sein de la ville. Durant cent cinquante ans, les Médicis passèrent du statut de banquiers opérant au niveau international à celui de famille ducale pour finalement régir un État de la taille de la Toscane. Florence, une ville déjà importante au Moyen Âge avec d'imposants chantiers, changea de visage durant le Quattrocento, nom que les Italiens donnèrent au XVᵉ siècle. On perça de larges rues dans un habitat jusqu'alors très dense et, pour pouvoir édifier un palais familial digne de la famille régnante, le palais Medici-Riccardi, on fit abattre des douzaines de maisons adossées les unes aux autres. Ces changements extérieurs étaient avant tout le signe d'un bouleversement dans la perception que la bourgeoisie avait d'elle-même et d'un nouveau mode de pensée. Dans cette atmosphère très nouvelle de renouveau se manifestèrent un art et une culture déjà perçus par les contemporains comme une « renaissance ». Le maître d'œuvre, Leon Battista Alberti, l'un des plus célèbres théoriciens de l'art de son époque, élabora le concept de *rinascitá* qui, dans la traduction française, « Renaissance », servit à désigner l'époque tout entière. On voulut nommer par là un renouveau culturel et spirituel d'après le modèle de l'Antiquité. La beauté et la grandeur des monuments antiques servirent de modèles pour l'art nouveau. Les artistes allèrent à Rome pour étudier des bâtiments tels le Colisée ou les arcs de

Antonio del Pollaiuolo,
Hercule et l'Hydre de Lerne, vers 1460
Huile sur toile
16 x 10,5 cm
Florence, Galleria degli Uffizi

Le palais Medici-Riccardi à Florence, érigé en 1444 par Michelozzo di Bartolomeo, photographie de la façade extérieure

triomphe antiques. La cour des Médicis rassembla des écrivains et des philosophes pour étudier les écrits des auteurs antiques tels que Platon, Aristote ou Vitruve, en faire de nouvelles traductions et en discuter. Au Moyen Âge, l'homme s'était perçu comme un simple élément dans un ordre du monde conçu par Dieu, et dont la dynamique était orientée vers le salut dans l'au-delà. De plus en plus, l'homme fit de lui-même le centre de sa réflexion. Ce changement de perspective, d'une pensée de plus en plus tournée vers l'humain et son environnement, se reflète aussi dans les œuvres d'art de la pré-Renaissance. La beauté du corps humain nu devint l'un des thèmes essentiels des arts plastiques. En ce domaine,

Dans notre siècle, les figures de proue de cet art noble et rayonnant sont si nombreuses que quiconque à côté d'elles paraît bien falot.

Giovanni Santi, peintre et poète, père de Raphaël Santi (vers 1440-1494)

des artistes comme Antonio del Pollaiuolo ne firent pas seulement référence à l'Antiquité mais étudièrent aussi l'anatomie sur des modèles vivants. Les peintres, ayant acquis une nouvelle perception d'eux-mêmes, ne se considérèrent

Sandro Botticelli,
Le Printemps, 1477-1478
Détrempe sur bois
203 x 314 cm
Florence, Galleria degli Uffizi

plus comme de simples ouvriers mais fondèrent leur art sur des principes « scientifiques » : étude de nus, étude des proportions, géométrie, perspective (voir p. 24). Les artistes commencèrent par ailleurs à développer des styles plus personnels et moins interchangeables. À côté des thèmes traditionnellement issus du christianisme, des sujets tirés de la littérature et de la mythologie antique

firent alors leur apparition. Dans la toile de Botticelli, intitulée *le Printemps,* Vénus, déesse de l'Amour, invite le spectateur à pénétrer dans le monde de son jardin, où sont rassemblés Apollon, les Trois Grâces et Flore, déesse des Fleurs. Si le sens exact de ce tableau poétique fait aujourd'hui l'objet de débats, sa délicatesse et sa fraîcheur ont toutes les caractéristiques de la pré-Renaissance.

Ci-dessus :
Jacopo Pontormo,
Cosme l'Ancien, vers 1518
Huile sur bois
86 x 65 cm
Florence, Galleria degli Uffizi

Le premier grand tableau

Le tableau de Léonard de Vinci intitulé *l'Annonciation*, comme toutes ses œuvres de jeunesse, n'est pas incontesté. Aucun document ne mentionne qu'il ait travaillé à cette œuvre, mais la finesse particulière de la finition des détails donne à penser qu'elle est bien de lui. Il est possible qu'il l'ait créée avec Domenico Ghirlandaio, avec qui il fut quelque temps en contact dans l'atelier de Verrocchio. Les ailes de l'ange seront par la suite retouchées par une main plus grossière car Léonard – et cela est tout à fait inhabituel – les avait représentées sous forme d'ailes d'oiseau très naturalistes. On peut comparer le personnage de Marie avec une magistrale étude de drapé

Fra Filippo Lippi,
L'Annonciation
(détail),
vers 1445
Huile sur bois
175,3 x 182 cm
Florence, San Lorenzo

Le moine Fra Filippo Lippi, un des peintres les plus connus de la pré-Renaissance florentine, peignit cette *Annonciation* pour décorer un autel annexe de l'église San Lorenzo, où le tableau se trouve encore aujourd'hui. On remarquera notamment la virtuosité dans le rendu de la carafe, symbole de la virginité de Marie, au premier plan.

réalisée par le jeune artiste, même s'il ne s'agit pas d'une reprise exacte. Le rendu du drapé n'était pas à l'époque un élément sans signification. Déjà au Moyen Âge, les artistes utilisaient les dessins des plis d'une étoffe pour un rendu de calme ou de tension, de nervosité ou de concentration. À la Renaissance, on commença à laisser plus nettement deviner le corps sous le drapé. Giorgio Vasari rapporte dans sa biographie de Léonard rédigée au XVIᵉ siècle que l'artiste réalisait des études à partir d'étoffes trempées dans la glaise et qu'il avait drapées sur des figurines d'argile. On a conservé aussi un dessin des manches de l'ange (voir p. 7) dont on peut déduire que Léonard étudiait chacun de ses tableaux jusque dans les moindres détails. L'annonce faite à Marie était un thème de prédilection de la peinture des XIVᵉ et XVᵉ siècles. À la Renaissance comme auparavant, les commandes religieuses constituaient l'essentiel des ressources des peintres. Ainsi Léonard put-il se référer à une longue tradition picturale. Il est évident qu'il connaissait les exemples fournis par les Florentins contemporains comme la très célèbre *Annonciation* de Filippo Lippi, une œuvre caractéristique de la pré-Renaissance. Dans ce tableau, comme dans l'œuvre de Léonard, l'événement biblique n'est pas relégué au second plan mais occupe le devant de la scène. Des objets appartenant à la vie de tous les jours et une architecture construite avec soin renforcent ce sentiment. La rencontre entre Marie et l'ange Gabriel est, grâce à la gestuelle des personnages,

L'Annonciation,
vers 1470-1473
Huile et détrempe
sur bois
98 x 217 cm
Florence, Galleria
degli Uffizi

Ce tableau de jeunesse de Léonard est pour l'essentiel conforme au goût dominant dans la peinture de l'époque à Florence. La finesse du drapé et la délicatesse du paysage en arrière-plan (voir p. 76) sont néanmoins typiques du style de Léonard. Comme souvent, ses personnages sont disposés de façon telle que leur visages se détachent sur un fond sombre afin que, peints avec des couleurs claires, ils apparaissent encore plus lumineux.

racontée par le langage du corps. Chez Lippi, l'ange semble recueilli tandis que Marie recule, comme effrayée. Dans le tableau de Léonard, l'ange agenouillé lève la main en un geste de salut et de parole ; le lys blanc dans sa main gauche renvoie à la conception virginale de Marie. La Vierge elle-même exprime par sa main levée à la fois la bienvenue et la surprise. La scène se déroule dans un jardin entouré d'un muret, le *hortus conclosus*, un vieux symbole de la virginité de Marie. Elle est assise devant une maison de style Renaissance, devant un lutrin et un livre qui symbolisent la sagesse. En y regardant de plus près, on constate que le tableau recèle quelques inexactitudes. Le bras droit de Marie apparaît trop long et son attitude face au lutrin n'est pas évidente. En raison de ces quelques maladresses, on considère que ce tableau est l'un des premiers réalisés par Léonard de Vinci.

**Étude de drapé
pour un personnage
assis,** vers 1472-1475
Pinceau et tempera
grise rehaussée de
blanc
26,4 cm x 25,3 cm
Paris, musée du Louvre

Cette étude de drapé particulièrement poussée a peut-être

un lien avec *l'Annonciation*. De telles études faisaient partie de la formation artistique de l'époque et étaient exécutées en noir et blanc afin de travailler en premier lieu les jeux d'ombre et de lumière.

À l'âge de 20 ans, Léonard de Vinci devient officiellement membre de la guilde des artistes de Florence. Il peut dès lors passer des contrats en son nom mais continue à travailler dans l'atelier de Verrocchio. Ses contemporains le décrivent comme un homme exceptionnellement beau, de caractère aimable et toujours habillé avec le plus grand soin. À cette époque, il s'intéresse avant tout à la peinture. Après une forte demande de madones, il réalise un premier portrait. Léonard finit par recevoir enfin sa première grande commande pour un autel, *L'Adoration des mages*. Quoique beaucoup de ses œuvres de jeunesse soient difficiles à juger à cause de leur mauvais état de conservation ou, comme le *Saint Jérôme*, soient restées inachevées, on y décèle néanmoins le côté novateur et original de son art. Léonard sut comme aucun autre conférer à ses personnages une vie intérieure intense.

Maximilien Ier

Sandro Botticelli, autoportrait

1474–1477 Guerre de Bourgogne : la ligue des cantons suisses fondée en 1291 tente de protéger ses territoires contre les visées expansionnistes de Charles le Téméraire. Après la mort de ce dernier sur le champ de bataille, les territoires bourguignons sont rattachés au royaume de France.

1475 Naissance de Michel-Ange.

1477 Naissance du Titien. L'héritier du trône du Saint Empire, Maximilien d'Autriche, émet des prétentions sur les terres de Charles le Téméraire. Affrontement avec la France.

1481 Introduction de l'Inquisition en Espagne.

1482 Le traité d'Arras entre Louis XI et Maximilien d'Autriche conclue au mariage du Dauphin Charles et de Marguerite, fille de Maximilien.

1472 Léonard devient membre de la confrérie des peintres, la confrérie de Saint-Luc.

1476 Léonard et quatre autres hommes sont accusés de luxure mais la plainte est rapidement retirée.

1478 Léonard travaille à deux tableaux représentant des madones. Commande pour la décoration d'un autel de la chapelle Saint-Bernard du palais Vecchio qui sera plus tard achevée par Filippino Lippi.

1479 Léonard loue son premier domicile. Il peint l'auteur de l'attentat contre les Médicis, pendu, Bernardo di Bandino Baroncelli.

1481 Contrat avec le couvent San Donato a Scopeto pour le maître-autel représentant l'adoration des mages. Le tableau restera inachevé.

À gauche :
Saint Jérôme dans le désert,
1479-1481
Huile sur bois
103 x 75 cm
Vatican, Pinacoteca Vaticana

À droite :
La Jeunesse de Jean-le-Baptiste
(détail), vers 1478
Dessin
Windsor, Royal Library

Portrait de Ginevra Benci (dos),
vers 1478-1480
Washington, National Gallery of Art

Un portrait mystérieux

Les compagnons d'atelier de Léonard, Sandro Botticelli et Pietro Perugino qui sera plus tard le maître de Raphaël, furent accueillis dans la confrérie de Saint-Luc la même année que lui. Dès le début de sa carrière, Léonard travailla avec une lenteur inhabituelle pour l'époque et ne créa, si on le com- pare à ses collègues, que peu de tableaux. Parallèlement à son travail de peintre, il modela de temps à autre des têtes de femme et d'enfant en argile et s'initia au luth et au chant. Son tableau le plus fascinant, peint au début de sa période florentine, est pro- bablement le *Portrait de Ginevra Benci*. L'art du portrait constitua à l'époque de la pré-Renaissance, l'une des branches les plus importantes de la peinture. Les commandes prove-

Portrait de Ginevra Benci,
vers 1478-1480
Huile et détrempe sur bois de peuplier
38,8 x 36,7 cm
Washington, National Gallery of Art

Le pâle visage de la jeune femme est encadré de fines boucles qui créent une unité avec le buisson sombre de genévrier et le paysage en arrière- plan. Le portrait est l'un des premiers tableaux florentins dans lequel l'arrière- plan et le personnage atteignent un tel degré de fusion. La partie inférieure du tableau, où figuraient les mains croisées du personnage, a été coupée. Le tableau avait à l'origine un format en hauteur, ainsi que les plantes ornementales de l'arrière-plan le laissent encore supposer aujourd'hui.

naient essentiellement des couches cultivées et aisées de la bourgeoisie. Le sombre buisson de genévrier – en italien *ginepro* – est une allusion au prénom de la jeune femme tandis qu'à l'arrière du tableau apparaît l'emblème de son admirateur, l'humaniste Bernardo Bembo. Ginevra Benci (1457-1520) était célèbre dans le cercle des Médicis par son lyrisme et sa vertu extraordinaire. Léonard est parvenu à restituer ses traits mélancoliques avec une finesse de porcelaine qui rappelle l'art de la peinture flamande. De fait, les tableaux en provenance des Flandres étaient connus à Florence par le biais du commerce des marchands. Contrairement à la majorité des portraits de femme réalisés à Florence, le personnage n'est pas représenté de profil mais fixe le spectateur. La légende raconte que Léonard se serait épris de cette jeune beauté mais c'est peu vraisemblable. « Il est douteux que Léonard ait jamais tenu une femme entre ses bras », écrira le psychanalyste Sigmund Freud au XXᵉ siècle. Déjà en 1560, l'écrivain Giovanni Paolo Lomazzo (1538-1600) révèle dans un texte que Léonard aimait en réalité les jeunes garçons. À l'époque, l'homosexualité était fréquente à Florence – notamment parmi les intellectuels et les artistes – quoiqu'officiellement frappée d'interdit. En 1476, Léonard fut ainsi que quatre autres hommes dénoncé pour détournement d'un jeune garçon nommé Jacopo Saltarelli. Faute de preuves, la plainte fut retirée.

Études de personnages (détail), vers 1480
Dessin
Winsdor, Royal Library

Sur cette feuille d'esquisses, Léonard a expérimenté, à grands traits de plume, la possibilité de réaliser un portrait de profil. Les têtes féminines ont peut-être été réalisées d'après un modèle vivant. Dans le bas de la feuille sont représentés différents animaux, la gueule grande ouverte, à l'expression sauvage et indomptable.

Étude de mains, 1478-1480
Mine d'argent
21,5 x 15 cm
Windsor, Royal Library

Léonard a réalisé ici une double étude de mains de femme croisées : en bas, il s'intéresse surtout à la main gauche. Au-dessus, il étudie de façon détaillée les jeux d'ombre et de lumière sur la main droite, qui tient un ruban entre ses doigts. On a coutume d'associer cette étude à la réalisation du *Portrait de Ginevra Benci*.

Premières madones

Dans le coin d'une feuille déchirée d'un carnet, on peut déchiffrer cette phrase à peine lisible : « … en 1478, j'ai commencé les deux madones… ». Des générations d'historiens de l'art ont étudié avec un soin de détective les carnets, les cahiers de travail et les feuilles d'esquisses de Léonard de Vinci, à la recherche de renseignements importants de cette nature, car on ne possède en fait pas d'autres informations sur son œuvre. Un des deux tableaux auquel fait allusion Léonard a pu être déterminé avec une grande certitude ; c'est celui qu'on a appelé la *Madone Benois* à Saint-Pétersbourg. D'autres tableaux représentant Marie ont été attribués à Léonard à cette époque. D'autres idées de tableaux, comme par exemple la composition de la *Madone au chat*, ont fait l'objet d'esquisses.

La *Madone Benois* n'est plus que l'ombre d'elle-même. Le tableau a beaucoup souffert d'avoir été transféré au XIXe siècle de son support original, du bois, sur une toile. De plus, la finesse de l'exécution a été cachée sous des couches de crasse et de retouches. Ainsi, dans l'encadrement de la fenêtre, qui est aujourd'hui beaucoup trop lumineuse, Léonard avait probablement peint, à l'origine, un paysage. Néanmoins, ce tableau est le plus intéressant parmi ses premières madones.

On aimait beaucoup les madones de petit format dans l'Italie de l'époque. On en rencontre de nombreux exemples, ne serait-ce que dans l'en-tourage de Verrocchio, tant en peinture qu'en relief. Elles étaient le plus souvent des images de dévotion à usage privé pour les croyants. La mère de Dieu n'apparaît pas sur ces tableaux en tant que reine céleste mais tout simplement comme une mère aimante, souvent séparée du spectateur par une simple balustrade. Léonard s'appropria cette tradition pour la dépasser considérablement. Jamais auparavant le personnage de Marie

Madone à l'enfant et au chat, 1478
Dessin à la plume (fac-similé),
13,2 x 9,5 cm
Florence, Gabinetto dei Disegni e delle Stampe

Dans cette Madone librement esquissée, les mouvements, bien que parfaitement calculés, créent l'illusion de la vie.

La Madone à la coupe de fruits,
vers 1478
Stylet, plume et encre
35,8 x 25,2 cm
Paris, musée
du Louvre

n'avait été représenté avec autant de fraîcheur et de naturel que dans la *Madone Benois*. L'enfant Jésus tend la main, avec tout le sérieux et la concentration d'un petit enfant, en direction de la fleur que lui tend sa mère. Léonard, qui n'avait à titre personnel rien d'un chrétien pratiquant, s'est intéressé dans cette scène au thème de l'amour maternel et à la proximité de la mère et de l'enfant. À Florence, il pouvait quotidiennement étudier combien les jeunes mères chérissaient leur enfant et jouaient avec. Il notait ses observations dans ses carnets d'esquisses et développait à partir de là des compositions plus achevées. Il tentait avant tout de capter les mouvements typiques de l'attirance que les personnages éprouvaient les uns pour les autres. Sur ses esquisses, les gestes apparaissent détendus et saisis sur le vif. Hélas, dans l'œuvre peinte, ils ont perdu une partie de leur fraîcheur originelle car la construction des tableaux de Léonard était calculée jusque dans le moindre détail. Ainsi les mains de la mère et de l'enfant se rejoignent au point d'intersection des diagonales du tableau. Cette disposition des personnages, en biais dans le tableau, est typique de

l'art de Léonard. Elle renforce ainsi la signification plastique des corps et on y décèle aussi son apprentissage de sculpteur. Le sourire spontané de la Madone confère au tableau une vie intense. Dans les œuvres ultérieures de Léonard, ce sourire léger, presque imperceptible, deviendra un signe caractéristique de sa peinture.

La Madone Benois,
vers 1478,
Huile sur bois,
transférée sur toile
48 x 31 cm
Saint-Pétersbourg,
musée de l'Ermitage

Le rendu sourd de la couleur est typique de Léonard.

Un nouveau moyen d'expression

En mars 1481, Léonard de Vinci signe avec le couvent San Donato a Scopeto un contrat pour la décoration d'un maître-autel, censé être terminé dans un délai de trente mois. L'œuvre n'a jamais été livrée aux moines. Quinze ans plus tard, ils transférèrent le contrat à Filippino Lippi. Malgré l'état d'inachèvement du tableau, *l'Adoration des mages* occupe une place clé dans l'œuvre de jeunesse de Léonard. Âgé de presque 30 ans, il n'était plus, et depuis longtemps, un débutant en peinture mais comptait déjà une dizaine d'années de pratique en tant qu'artiste. Or il manifesta pour la première fois sa conception personnelle de l'art dans cette œuvre ambitieuse et de grand format. Au centre du tableau, la Madone est assise, tenant l'enfant Jésus sur son

sein, constituant le pôle de repos dans une composition aux personnages nombreux et passionnément animés. Représentant l'ensemble de l'Humanité, les trois mages et d'autres personnages s'approchent du fils de Dieu pour lui manifester leur vénération, leur émotion et leur surprise. Dans leurs gestes expressifs se reflète un large spectre des réactions humaines et une perspicacité psychologique de l'artiste très nouvelle pour l'époque. Beaucoup d'éléments de ce tableau, de gestes et de types de visage se retrouveront dans les tableaux ultérieurs de Léonard, comme par exemple le mystérieux groupe de cavaliers combattant à l'arrière-plan, qui réapparaît dans *La Bataille d'Anghiari* (voir p. 58). Pour la première fois, il organise les personnages principaux dans une pyramide, modèle de composition qui prendra une signification importante à la Renaissance. Il est possible que Léonard n'ait pas achevé la toile parce qu'il estimait ne pas pouvoir atteindre les buts qu'il s'était fixés. À moins que son attention ait été accaparée par d'autres projets. Le *non finito*, l'inachevé, n'était pas encore une forme d'art en soi, comme il le sera plus tard au XIXᵉ siècle. Néanmoins, ne pas finir ses œuvres faisait presque l'originalité du talent de Léonard de Vinci. D'innombrables projets demeurèrent inachevés ou à demi terminés. Après avoir travaillé pendant des mois à *L'Adoration des mages*, il décida en 1482 de tourner le dos à la ville de sa jeunesse. Il se débarrassa de son atelier à Florence et se mit en route pour Milan.

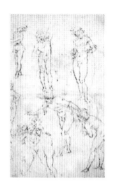

Étude de corps et de groupes (détails), vers 1478
Dessin
Cologne, Wallraf-Richartz-Museum

Léonard étudia, dans d'innombrables esquisses, les qualités expressives des différentes positions du corps humain.

Projet pour une Adoration des mages, vers 1481
Dessin à la plume (fac-similé)
28,5 x 21,5 cm
Paris, musée du Louvre, Cabinet des dessins

Cette esquisse est plus conforme que le tableau antérieur, au schéma d'une représentation traditionnelle de l'adoration des mages. Les mages sont figurés nus et les mouvement mieux travaillés. L'arrière-plan est très librement traité sous forme d'une esquisse et ne répond pas aux lois de la perspective.

L'Adoration des Mages,
vers 1481-1482
Couche préparatoire à l'huile et sépia sur bois
246 x 243 cm
Florence, Galleria degli Uffizi

Cette toile inachevée est caractéristique de la manière de Léonard. Sur le fond de préparation blanc, il dessine les personnages d'un trait fin. Puis il applique en certains endroits une sous-couche. Elle lui servira à travailler les formes sur le plan plastique par les jeux d'ombre et de lumière. Puis la couleur est apposée successivement par fines couches de lasure. Et c'est là qu'on remarque une nouveauté : le développement d'une technique du clair-obscur qui modélise tous les personnages à partir d'une teinte d'ombre dominante au lieu de juxtaposer des couleurs éclatantes. Quelques silhouettes sont dans ce tableau difficiles à identifier, notamment les deux personnages debout au premier plan.

L'espace dans le tableau : la perspective centrale

Masaccio,
La Trinité, vers 1425
Fresque
680 x 475 cm
Florence, Santa Maria Novella

En fait, un tableau n'est jamais qu'une surface plane recouverte de couleurs. Depuis l'Antiquité, les peintres ont toujours été à la recherche de moyens pour créer dans leurs œuvres l'impression de la profondeur de champ. Mais il faudra attendre la Renaissance pour qu'ils exploitent les possibilités de la perspective centrale permettant de créer la profondeur de champ et donnant son unité au sujet. Jusqu'à l'apparition de l'art moderne, cette méthode restera le seul moyen à la disposition des peintres pour donner une

représentation de l'espace. On doit au sculpteur et architecte florentin Filippo Brunelleschi, appartenant à la première génération des artistes de la pré-Renaissance, d'avoir fait franchir un pas décisif à la perspective à point de fuite central, ou perspective linéaire. Ses découvertes furent transposées en peinture par son ami, le peintre Masaccio. Dans sa fresque de *La Trinité*, Masaccio construisit l'architecture de son tableau selon cette nouvelle méthode : les lignes issues des voûtes se croisent en un point central situé au pied de la croix du Christ. La hauteur de ce point de fuite correspond à la hauteur du regard du spectateur. Ainsi a-t-on l'impression de voir la scène dans une niche du mur. On a aujourd'hui du mal à comprendre

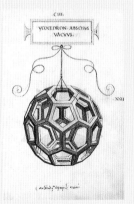

Ucoderon Abscisus (dessin en perspective d'un corps géométrique pour Luca Pacioli « De Divina Proportiona »), vers 1498
Dessin
Milan, Biblioteca Ambrosiana

l'importance que cette découverte eut pour les gens de l'époque. Pour les hommes de la Renaissance, un tableau était comme une fenêtre par où contempler une partie du monde. La perspective à point de fuite central se répandit dans toute la peinture italienne alors qu'elle ne fut importée en Europe du Nord qu'en 1500 par Albrecht Dürer. Léonard de Vinci étudia les lois de la perspective durant sa formation. Le dessin très soigneux qu'il exécuta pour

Spectrographe, vers 1480
Dessin au fusain
62 x 40 cm
Codex Atlanticus I r-a
Milan, Biblioteca Ambrosiana

construire son tableau de *L'Adoration des mages* montre bien les nombreux traits tracés depuis certains points en bas du tableau jusqu'au point de fuite. Plus les objets ou les personnages sont éloignés du spectateur, plus ils apparaissent petits.
Ce dessin met en lumière un des problèmes fondamentaux de la perspective à point de fuite central. Cette technique permet de construire des éléments architecturaux ainsi que des objets à angles vifs mais devient insuffisante lorsqu'il s'agit de paysages, d'êtres vivants

La perspective n'est rien d'autre que le fait de voir une scène derrière un verre plat et transparent, à la surface duquel sont reproduits tous les objets qui se trouvent de l'autre côté.

Léonard de Vinci

ou de personnages humains. Dans son manuel sur la théorie et la pratique de la perspective, le peintre Piero della Francesca soutient que le corps humain peut être considéré comme un ensemble de volumes géométriques et traité en tant que tel. Mais cette méthode est extraordinairement compliquée. Après avoir pris connaissance du traité de Piero della Francesca, Léonard fit part de son projet d'écrire lui-même un manuel de perspective.

Beaucoup de peintres se facilitaient la tâche en utilisant un appareil comme Léonard en a dessiné et qu'il a nommé spectrographe. Le dessinateur regarde à travers une vitre sur laquelle il dessine les contours des objets qu'il voit. Léonard conseillait aux artistes d'utiliser un moyen similaire pour exécuter leurs esquisses. Néanmoins, la perspective linéaire ne joua pas un rôle majeur dans ses œuvres ultérieures. Il constata que la perception

humaine est conditionnée par d'autres facteurs, tels la lumière ou l'humidité de l'air, impossibles à rendre par une construction mathématique. C'est pourquoi la perspective aérienne ou chromatique joua un rôle de plus en plus prépondérant dans son œuvre. Il fut clair pour lui, dès le départ, que le rendu de l'espace et de la profondeur est surtout question de dosage des ombres et des lumières. C'est ce *relievo*, cette modélisation des corps par

Ci-dessus :
Étude de perspective pour l'arrière-plan de l'Adoration des mages, vers 1481
Plume, encre sépia, trace de mine d'argent et blanc sur papier (fac-similé)
16,5 x 29 cm
Florence, Gabinetto dei Disegni e delle Stampe

le clair-obscur, qu'il étudiera avec une précision quasi scientifique dans ses dessins et perfectionnera dans sa peinture.

L'homme universel   1482–1494

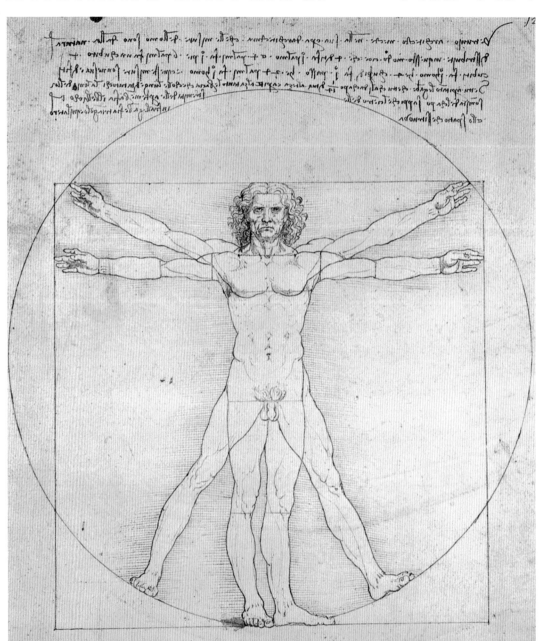

Léonard de Vinci trouve à la cour de Milan ce que ne pouvait lui offrir Florence, sa ville d'origine : la sécurité matérielle et la possibilité de développer ses dons dans les domaines les plus variés. Il sera portraitiste et décorateur de théâtre, s'occupera de projets architecturaux et travaillera à un grand monument équestre. Mais les centres d'intérêt de Léonard dépassent l'univers de l'art. Ainsi s'occupe-t-il très intensément de résoudre des problèmes techniques ; il vérifie l'état des canaux de la région, crée des machines de guerre et imagine d'autres inventions. Dans presque tous les domaines, il pose des questions fondamentales, commence à établir les fondements de la mécanique et étudie la nature de l'eau. De nouveaux champs d'expérience et de savoir le préoccupent sans cesse. Le peintre Léonard devient un génie universel, un homme cultivé, versé dans tous les domaines du savoir et ayant innové de façon extraordinaire tant dans l'art que dans les sciences.

**Illustration du
Marteau des Sorcières**

Le jeune Salai

1483 Naissance du peintre Raphaël.

1485 Henri VII de Lancaster rentre en Angleterre après son exil en France et met un terme à la guerre des Deux-Roses.

1487 Mise sous presse du *Marteau des Sorcières*. Le livre contient de nombreux conseils pratiques sur la façon de combattre la sorcellerie et contribue à l'essor considérable de la psychose de l'époque.

1492 Christophe Colomb débarque sur une île qu'il baptise San Salvador. Cet événement entrera dans l'Histoire comme constituant la découverte de l'Amérique. En Italie, la mort de Laurent de Médicis crée une vacance du pouvoir. Le roi de France Charles VIII fait état de ses prétentions sur le royaume de Naples et, en pratique, sur toute l'Italie.

1482 Léonard part s'établir à Milan et offre ses services au duc Ludovic le More en tant qu'artiste et ingénieur. Il restera dix-huit ans à Milan, au service du duc.

1483 Il obtient, avec les frères de Predis, la commande d'un tableau pour un autel de la confrérie de l'Immaculée Conception à Milan.

Vers 1484 Léonard commence à élaborer des projets pour un monument équestre en l'honneur des Sforza.

1487 Participation au concours en vue de l'édification de la coupole de la cathédrale de Milan.

1489 Léonard commence à travailler à un livre sur l'anatomie.

1493 Le modèle grandeur nature et en argile du monument équestre est exposé dans la cour du château des Sforza.

À gauche :
L'Homme de Vitruve, vers 1490
Plume, encre et crayon sur papier
34,3 x 24,5 cm
Venise, Galleria dell'Academia

À droite :
Emblème au dragon (détail), 1494
Craie noire, plume et encre
Windsor, Royal Library

À la cour des Sforza

L'Italie, à l'époque de Léonard de Vinci, était un assemblage de petits États, dont les États de l'Église, Naples et Venise, comptaient parmi les plus puissants. Les différentes familles régnantes et les villes républicaines constituaient des coalitions changeantes et guerroyaient en permanence pour accroître leurs zones d'influence. Les affrontements militaires étaient donc constamment à l'ordre du jour. À Milan régnait le duc Ludovic Sforza (1452-1508) qui, à cause de son teint sombre, avait été surnommé « le More ». Les Sforza n'étaient pas une vieille famille régnante. Le père de Ludovic le More avait servi comme condottiere, c'est-à-dire comme officier rémunéré, avant de prendre le pouvoir à Milan, mettant ainsi fin à plus de cent cinquante ans de règne de la famille Visconti.

Maître du Pala Sforzesca, **Tableau pour l'autel des Sforza,** vers 1495 (détail avec un portrait de Ludovic le More) Huile sur toile Milan, Pinacoteca di Brera

Le château des Sforza, photographie

Ludovic le More s'est inscrit dans l'Histoire comme un prince typique de la Renaissance, actif, ambitieux et sensible à l'art. Il entretient une cour luxueuse qui rivalisait d'éclat avec celle des Médicis à Florence. Il rassembla autour de lui artistes et érudits, non seulement pour leur commerce, mais aussi pour accroître la renommée de sa maison. Si l'on en croit l'un des premiers biographes de Léonard de Vinci au XVIᵉ siècle, ce dernier ne serait pas venu à la cour des Sforza en tant que peintre mais en tant que musicien : « Lorsqu'il eut 30 ans, Laurent le Magnifique (de Médicis) l'envoya chez le duc de Milan… pour lui offrir un luth, instrument que Léonard maîtrisait parfaitement. » Il est probable que Léonard lui-même ait conçu cet instrument étrange en argent et en forme de crâne de cheval. Le fait d'apporter le cadeau en main propre à Milan fournissait à l'artiste une excellente occasion de pénétrer à la cour du duc. Léonard jugea en effet plus prudent de ne pas fonder sa démarche pour mettre le pied à la cour sur sa seule renommée d'artiste. Un prince tel que Ludovic le More prêtait une grande attention aux ingénieurs qui pourraient l'aider à consolider son pouvoir. Aussi Léonard prépara-t-il à l'intention du duc un écrit dans lequel il se présentait comme très habile pour concevoir des machines de guerre, des ponts à construction rapide et des fortifications, bien que son expérience pratique en tant qu'architecte et ingénieur fût limitée. « Durant les périodes de paix », ajoutait-il, il pouvait très

Dame à la licorne,
vers 1490
Dessin
9,7 x 7,5 cm
Oxford, Ashmolean
Museum

bien s'occuper de peinture et de sculpture « aussi bien qu'un autre ».

Léonard trouva à Milan, qui à cette époque comptait 200 000 habitants, tout d'abord un hébergement chez des collègues peintres, les frères de Predis, qui possédaient un atelier près de la porte Ticinese. Embauché l'année suivante par Ludovic le More qui lui confia diverses missions, il fut finalement nommé *pictor et ingeniarius ducalis*, c'est-à-dire peintre et ingénieur du duc. Il fit le portrait de la jolie maîtresse du souverain, Cecilia Gallerani, portant une hermine sur le bras. Le poète de la cour, Bellincioni, loua le tableau dans un sonnet en déclarant qu'il était si plein de vie que le personnage représenté paraissait écouter ce qu'on lui disait. Léonard fit aussi des projets de décor pour des fêtes et des spectacles, dessina des charades et des allégories. Dans le château des ducs Sforza, un authentique bâtiment Renaissance comprenant d'impressionnantes tours, il créa des peintures murales décoratives qui ont été en partie conservées. Il remplit des cahiers d'esquisses de projets de constructions techniques et militaires. Il conçut, entre autre, des projets de fontaines, d'installation de chauffage, de pavillons et de jardins. Ces projets divers et variés stimulaient le génie créateur de Léonard pour trouver toujours de nouvelles idées. Il ne semble en outre guère avoir été perturbé par le fait que ses nombreuses commandes et centres d'intérêt ne lui aient pratiquement laissé aucun loisir de peindre.

La Dame à l'hermine (Cecilia Gallerani), 1483-1490
Huile sur bois de noisetier
54,8 x 40,3 cm
Cracovie, musée Czartorsky

Ce portrait représente vraisemblablement la maîtresse du duc Ludovic le More. L'hermine que la jeune femme tient tendrement dans les bras confirme cette hypothèse, car cet animal faisait partie de l'emblème du duc. La présence de cet animal recèle aussi un jeu de mots portant sur le nom de Gallerani car *galé* signifie « hermine » en grec. Malgré son mauvais état de conservation – le fond et les cheveux ont été grossièrement retouchés –, ce tableau constitue un exemple magnifique de l'art du portrait dont fit preuve Léonard.

Le monument équestre des Sforza

Alors qu'il vivait encore à Florence, Léonard de Vinci avait déjà entendu parler de ce projet de monument équestre des souverains milanais. Le frère de Ludovic le More, qui l'avait précédé au pouvoir, avait eu le projet de faire ériger un monument équestre en l'honneur du fondateur de la dynastie, Francesco Sforza, mais personne n'avait été en mesure de réaliser la statue en bronze. Ludovic le More reprit le projet à son compte d'autant plus qu'il souhaitait renforcer ainsi l'image de puissance de sa maison. Le monument devait donc largement dépasser la taille humaine, et être plus grand que toutes les statues équestres existant à l'époque en Italie. Ce projet fascinait Léonard. Déjà dans sa lettre de présentation au duc, il se montrait prêt à relever le défi. Les Florentins étaient

connus comme spécialistes dans l'art délicat de la fonte du bronze. Léonard avait, dans l'atelier de Verrocchio, assisté aux travaux préparatoires de ce dernier en vue de la création de la *Statue équestre du chef des mercenaires Colleoni*. Cette œuvre était, avec le *Monument de Gattamelata* de Donatello, l'une des sculptures équestres majeures de l'Italie de la pré-Renaissance. Déjà dans l'Antiquité, la statue équestre constituait le symbole le plus achevé de la puissance et la Renaissance ne fit que reprendre cette tradition à son compte. Léonard étudia à Pavie la statue équestre antique de *Regisole* et nota : « À Padoue, le cheval est surtout admirable par l'impression de mouvement qui s'en dégage. Il a l'air de trotter à peu près comme un cheval vivant ». Léonard réalisa de nombreuses études d'après nature : il dessina les chevaux les plus

Projet pour le monument Sforza, vers 1485-1490
Mine d'argent sur papier bleu
14,8 x 18,5 cm
Windsor, Royal Library

Léonard abandonna ce projet de monument très dynamique car il ne pouvait faire tenir en équilibre la lourde masse du cheval uniquement sur ses membres postérieurs.

À gauche :
Andrea del Verrocchio, **La Statue équestre du chef des mercenaires Colleoni,** 1479-1488
Statue en bronze
Hauteur : 396 cm (sans le socle)
Venise, Campo di San Giovanni e Paolo

Feuille manuscrite sur le monument des Sforza, vers 1491
Sanguine, 21 x 15 cm
Codex Madrid I, fol. 157r
Madrid, Biblioteca Nacional

D'innombrables dessins ainsi que des notes prouvent avec quel soin Léonard étudia les problèmes techniques liés à la fonte de la statue. Pour pouvoir fondre le cheval d'une seule pièce, il mit au point une nouvelle technique de fonte du bronze. Le dessin détaille la structure métallique mise au point pour la forme servant à fondre la tête du cheval.

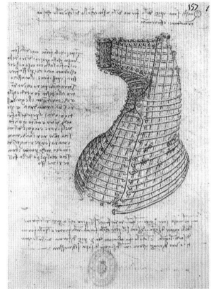

Étude de cheval, vers 1490
Mine d'argent sur papier bleu
21,4 x 16 cm
Windsor, Royal Library

Léonard étudia jusque dans les moindres détails l'anatomie des chevaux, dans les écuries de la noblesse milanaise.

racés et étudia leur anatomie et leurs proportions. Il songea d'abord à réaliser un cheval en train de se cabrer pour susciter le plus possible une impression d'énergie et de force concentrées. Mais ce projet osé échoua pour des raisons techniques et Léonard opta finalement pour un cheval en train de marcher. Le modèle original en argile et en grandeur réelle put finalement être exposé dans la cour du château des Sforza en 1493 et déclencha aussitôt l'enthousiasme des contemporains. La fonte de monuments gigantesques représentait un défi technique encore jamais réalisé à l'époque. Alors que tout était prêt, Léonard dut abandonner son projet, Ludovic le More ayant décidé d'offrir le bronze préparé pour la fonte à son beau-frère, Ercole d'Este, pour fabriquer des canons : une guerre menaçait.

Élèves, amis et érudits

Parmi les artistes et les hommes de science milanais, Léonard de Vinci rencontra d'importantes personnalités avec qui il put échanger pensées et idées. Il trouva auprès de ce cercle d'amis des sollicitations pour concevoir de nouveaux projets. Au contact de l'architecte Bramante, Léonard développa ses propres conceptions en matière d'architecture. Avec Luca Pacioli, l'un des plus importants mathématiciens de son époque, dont il illustra le livre sur l'étude des proportions, il se consacra à l'étude de la géométrie. La recherche de l'harmonie et des proportions idéales fut l'une des préoccupations essentielles tant des peintres, des architectes que des musiciens et des mathématiciens de la Renaissance. Léonard se mit à l'étude du latin pour pouvoir lire les textes des auteurs antiques, qui restaient le fondement de toutes sciences. Loin de rechercher le seul contact des érudits, il s'informa également auprès des techniciens expérimentés sur les techniques de construction des canaux ou des fortifications.

C'est durant son séjour à Milan que Léonard commença à noter dans ses carnets ses réflexions et ses idées au sens large. Il couvrit des milliers de pages d'esquisses et de notes d'une écriture minuscule. Comme beaucoup de gauchers, il trouvait plus pratique d'écrire en regardant dans un miroir : il pouvait ainsi écrire de la main gauche de droite à gauche sans effacer l'encre avec sa main. On trouve dans ses cahiers, à côté d'observations sur la nature, des études tant techniques qu'artistiques, mais aussi des remarques personnelles, des comptes et des listes d'adresses qui nous renseignent sur ses centres d'intérêt et sur ses relations. Ludovic le More avait

Raphaël,
Bramante (étude pour la Dispute)
(détail), 1509
Mine d'argent sur papier vert
Paris, musée du Louvre

Peintre et architecte, Bramante (1444-1514) faisait partie à Milan du cercle d'amis de Léonard. Les deux hommes discutaient de leurs conceptions de l'architecture. Comme Léonard, Bramante s'enthousiasmait pour les formes géométriquement parfaites de la maison panoptique. Malheureusement, presque aucun de ses projets milanais ne vit le jour. Il travailla par la suite à Rome, où il prit en charge la reconstruction de Saint-Pierre et où il construisit, avec le Tempietto, à San Pietro in Montorio, la plus célèbre maison panoptique de la Renaissance.

Anonyme,
Luca Pacioli avec un de ses élèves, 1495
Huile sur toile
99 x 120 cm
Naples, Museo e Gallerie Nazionale di Capodimonte

Fra Luca Pacioli, un moine, était un ami du peintre Piero della Francesca dont l'enseignement influença ses écrits. Le tableau le présente au milieu de tables et d'objets géométriques.

mis à la disposition de Léonard des locaux dans le Corte Vecchia, son ancienne résidence, où l'artiste put aménager son atelier de peintre et bénéficier de place pour la réalisation de ses inventions techniques. Léonard s'entoura d'aides et d'élèves, dont notamment Marco d'Oggiono et G. A. Boltraffio qui transposèrent son style et parfois des éléments entiers de ses tableaux dans leurs œuvres. Il

convient de noter la présence dans cet atelier du jeune Salai, qui s'appelait en réalité Giacomo Caprotti et qui arriva chez Léonard en 1490, à l'âge de 10 ans. Il méritait bien le surnom de « petit diable » car il volait à ses compagnons leurs mines d'argent et dérobait de l'argent au maître pour s'acheter des bonbons à l'anis. Ce qui n'empêchait pas Léonard de tenir beaucoup à lui.

Léonard ingénieur : découvertes et réalisations

Dans les presque six mille pages laissées par Léonard de Vinci dans ses cahiers d'études et dans ses carnets de travail, on trouve d'innombrables esquisses de mécanique et de sciences naturelles, en réalité beaucoup plus de dessins techniques que de projets artistiques. Son travail d'ingénieur l'intéressait donc au plus haut point. On croyait autrefois que Léonard, avec ses multiples inventions techniques, représentait un cas aussi génial qu'isolé mais il s'inscrivit en réalité avec d'autres artistes ingénieurs dans une tradition typique de la Renaissance. Ainsi, l'un des ingénieurs les plus marquants de l'époque, Francesco di Giorgio Martini (1439-1511), originaire de Sienne, était aussi à la fois peintre, architecte, ingénieur fluvial et inventeur. Léonard le connaissait personnellement et étudia ses traités. Dès son époque florentine, Léonard présenta des signes d'intérêt pour le métier d'ingénieur. Il dessina des grues et des appareils de levage que l'architecte Filippo Brunelleschi avait mis au point dans la première moitié du XVᵉ siècle, pour pouvoir réaliser les plans audacieux qu'il avait conçus pour la coupole de la cathédrale de Florence (voir p. 37). Dans les années 1480, Léonard s'occupa intensément de problèmes techniques, aiguillonné par les attentes de son commanditaire. Ses premières « découvertes » de l'époque sont des machines de guerre fantastiques pour lesquelles il s'inspira partiellement de dessins de l'Antiquité. Il projeta des armes à feu à canons multiples, un véhicule blindé à engrenages, des ponts mobiles et de gigantesques machines de guerre, comme *la Grande Arbalète à roues* pouvant être maniée par un homme seul. Il est difficile d'imaginer comment de telles machines auraient pu être réalisées avec les moyens de l'époque. Son imagination était telle que Léonard était en mesure de conférer à ses idées les plus invraisemblables l'impression qu'elles étaient réalisables. Ses dessins sont si précis que beaucoup de ces machines ont pu être construites de nos jours sans étude complémentaire. Leur extraordinaire clarté confère aux dessins techniques de Léonard une beauté équivalente à celle de ses dessins d'art. Dans ses réflexions techniques, il partait souvent de problèmes de la vie quotidienne pour lesquelles il cherchait les solutions les plus adéquates. C'est ainsi qu'il mit au point des machines de travail du textile qui, tant à Florence qu'à Milan, représentait un commerce florissant. Ce qui ne l'empêcha pas par ailleurs d'imaginer une solution originale pour un tournebroche mû par l'air chaud ou l'aménagement d'un atelier doté de mécanismes permettant

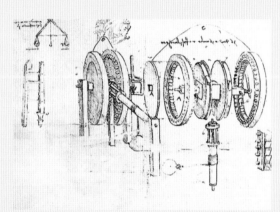

Machine de levage,
(détail), 1503-1504
Dessin à la plume
Codex Atlanticus, Folio 80-b
Milan, Biblioteca Ambrosiana

À gauche :
Modèle d'une automobile,
d'après des plans de
Léonard de Vinci
Amboise, Le Clos Lucé

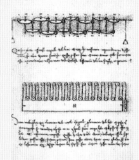

Dessin d'engrenage sur une feuille de manuscrit
(détail), vers 1490
Dessin
Madrid, Biblioteca Nacional

d'enfouir dans le sol des toiles de grand format. L'hydraulique le fascinait. La puissance de l'eau était importante dans les nombreux canaux sillonnant la région de Milan ; ils faisaient fonctionner des moulins à eau et des systèmes d'irrigation. Léonard croyait même que le progrès technique permettrait à l'homme de réaliser son vieux rêve : voler (voir p. 50). Certaines de ses découvertes nous paraissent aujourd'hui visionnaires au sens où elles n'ont connu de réalisation concrète que des siècles plus tard, comme par exemple son *Modèle d'une automobile*, qui devait être mue par une sorte de mécanisme horloger. À la différence de ses contemporains, Léonard décomposait chacune de ses machines en pièces

détachées. Il étudia le mode de fonctionnement de la roue dentée, de la vis, du ressort et du palan, bref des éléments les plus importants de la technique de son époque. Par voie de conséquence, il ne s'intéressait pas seulement au fonctionnement pratique des machines qu'il inventait mais explorait aussi les principes fondamentaux de la mécanique. Il mena des expérimentations systématiques pour étudier le fonctionnement du poids et des forces, le comportement des courants aquatiques, les lois de force du levier. Sa soif de connaissance jamais rassasiée l'amena à se poser des questions que l'homme se posait peut-être pour la première fois. Il ne tenait pour vrai que ce qu'il avait pu lui-même expérimenter. Ainsi Léonard était-il non

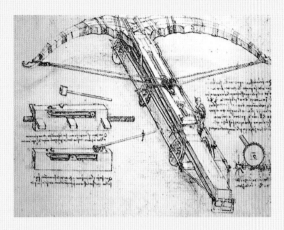

seulement un technicien mais aussi un homme de sciences. Il projeta souvent de publier l'état de ses connaissances. Mais son attention était sans cesse détournée par de nouvelles observations, tant et si bien qu'il n'eut jamais le temps de classer ses notes et d'en faire la synthèse. C'est ainsi que l'œuvre technique de

Grande Arbalète, vers 1499
Dessin à la plume, lavis
Codex Atlanticus, Folio 53
verso-a-b
Milan, Biblioteca
Ambrosiana

Léonard constitue un gigantesque manuel inorganisé sous forme d'esquisses et de notes. Il représente en outre une source majeure pour appréhender ce qu'était l'état de la technique à la Renaissance mais aussi pour appréhender le génie créateur de son auteur.

Modèle d'un véhicule blindé,
d'après des plans de Léonard de Vinci
Amboise, Le Clos Lucé

Projets d'architecture

À Milan, le projet architectural le plus discuté à l'époque de Léonard de Vinci était l'achèvement de la gigantesque cathédrale commencée un siècle plus tôt. La coupole qui devait surmonter l'édifice ne posait pas que des problèmes esthétiques mais aussi statiques. Les responsables du chantier appelèrent des maîtres d'œuvre nationaux et internationaux en consultation. Léonard s'empara lui aussi du projet, lança quelques propositions et fit réaliser un modèle. Bien que jusqu'alors sans aucune expérience en matière de construction, il ne tarda pas à débattre, comme un vieux professionnel, des forces de poussée et des répartitions de charges. On opta finalement pour un projet concurrent. Léo-

La cathédrale de Milan, photographie

La cathédrale de Milan constitue, avec l'église Saint-Pierre de Rome, le plus grand édifice religieux d'Italie. La construction de ce bâtiment, purement gothique et richement ouvragé, débuta en 1386. Léonard concourut pour l'édification de la coupole, prévue au-dessus de la croisée du transept.

Projet pour une ville idéale (détail),
vers 1485
Dessin à la plume
Manuscrit B, Folio 16 r
Paris, Bibliothèque de l'Institut de France

Après l'épidémie de peste de 1484-1485, Léonard dessina les plans d'une ville idéale où les constructions seraient à plusieurs étages. Des canaux souterrains fourniraient l'approvisionnement en eau et serviraient de moyen de transport pour les marchandises, la partie supérieure de la ville étant ainsi épargnée du labeur et des ordures.

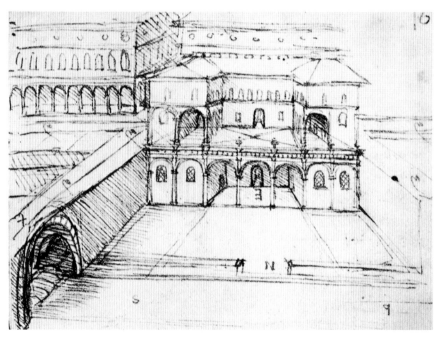

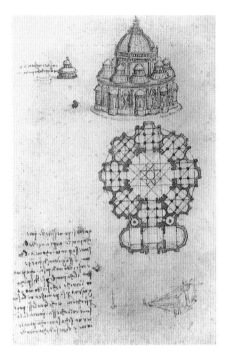

Église centrale avec coupole et huit chapelles (détail), vers 1484
Dessin à la plume
Codex Ashburnham 2037, Folio 5 v
Paris, Institut de France

Léonard développa dans ses esquisses d'innombrables concepts d'églises centrales avec coupoles, chapelles et niches. Les plans de base étaient fondés sur le cercle et le carré. Pour les architectes de la Renaissance, la forme panoptique était la matérialisation de l'harmonie idéale et constituait un symbole du divin.

pour la beauté de l'harmonie géométrique. Le penchant de Léonard pour les concepts utopistes est également perceptible dans ses plans de ville. La ville idéale était l'un des projets favoris de beaucoup de théoriciens de la Renaissance. Ainsi le maître d'œuvre milanais Filarete projeta une ville idéale, nommée Sforzinda, dont le plan de base en forme d'étoile devait personnifier la beauté et l'ordre. Léonard, de son côté, tenta de concilier ses plans d'une ville idéale avec les contraintes de la vie pratique. Aucun de ses projets architectoniques ne vit le jour mais il réalisa plus d'esquisses que les autres maîtres d'œuvre contemporains. Léonard développa dans ses dessins une forme moderne de la projection architecturale avec plan de base, élévation et mise en perspective.

nard n'était pas le seul peintre de l'époque à se préoccuper d'architecture. Son ami Bramante, l'un des maîtres d'œuvre majeur de la Renaissance, avait commencé sa carrière en tant que peintre ; Michel-Ange et Raphaël s'occupaient aussi d'architecture. Léonard conçut pour Ludovic le More des projets de fortifications d'un genre nouveau, il conçut des pavillons de jardin ou esquissa des idées fantastiques comme une tour de 130 m de haut pour le château des Sforza. Il était particulièrement fasciné par le panoptique, un édifice symétrique dont toutes les parties étaient agencées pour converger vers un point central. Les innombrables projets de Léonard pour des maisons panoptiques reflètent l'enthousiasme général de la Renaissance

Études pour la coupole du transept de la cathédrale de Milan (détail), vers 1484
Dessin
Codex Atlanticus, Folio 266 r
Milan, Biblioteca Ambrosiana

Influencé par la coupole de la cathédrale de Florence de Brunelleschi, le projet de Léonard devait être en harmonie avec le style gothique de la cathédrale ; il était d'une réalisation délicate car la coupole allait reposer à plus de 50 m de haut sur quatre étroits piliers.

Un maître de la peinture 1494–1499

Durant sa période milanaise, Léonard de Vinci se consacra à ses études scientifiques et techniques avec toute la créativité d'un artiste et, parallèlement, envisagea de plus en plus la peinture comme une science. Le but de ses études embrassant tous les domaines du savoir – anatomie, science du mouvement, botanique et zoologie, voire même géologie et météorologie – est la peinture « parfaite ». C'est durant ces années que des tableaux qui comptent parmi les œuvres majeures de la peinture virent le jour. Avant tout, *la Cène*, peinte pour un couvent de Milan et qui fit la renommée de Léonard. Cette œuvre si dramatique et en même temps si équilibrée, révolutionna l'art de l'image traditionnelle. *La Cène* devint un modèle pour des générations d'artistes, même si elle commença à s'écailler sitôt terminée.

Vasco de Gama

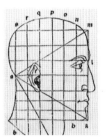

Étude de proportions pour une tête d'homme

1493 Naissance de Paracelse, médecin et philosophe allemand.

1498 Le navigateur portugais Vasco de Gama atteint pour la première fois les Indes par voie de mer et pose ainsi la première pierre de l'expansion coloniale portugaise dans l'océan Indien. Albrecht Dürer devient célèbre avec sa série de gravures sur bois intitulée *l'Apocalypse*. Savonarole périt sur le bûcher à Florence.

1495 Après avoir signé un contrat avec Ludovic le More, Léonard commence à peindre *La Cène* pour le couvent Santa Maria delle Grazie, à Milan. Mais il n'en abandonne pas pour autant ses études de constructions techniques, architectoniques et géométriques.

1497 Ludovic le More presse l'artiste de terminer *La Cène*.

1498 Léonard achève *La Cène* ; il décore de fresques murales et de plafond une salle du palais des Sforza pour le compte de Ludovic le More.

1499 Les Français entrent à Milan en octobre, sous la conduite de Louis XII. Chute de Ludovic le More.

À gauche :
La Cène,
1495-1497 (détail)
Huile et détrempe sur support mural
Milan, Santa Maria delle Grazie

À droite :
Faucille et voiture blindée,
vers 1490
Dessin
Londres, The British Museum

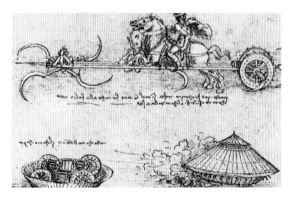

La Vierge aux rochers

Ce tableau pose aujourd'hui encore une énigme aux historiens. L'histoire de sa conception n'est elle-même pas claire, d'autant qu'il existe deux versions de *la Vierge aux rochers*. Dès le début de son séjour à Milan, en 1483, Léonard et les deux frères de Predis avaient signé avec la confrérie de l'Immaculée Conception un contrat pour un tableau devant décorer un autel. Alors que Léonard était censé peindre le panneau central du retable, ses deux collègues prenaient en charge les deux panneaux latéraux et la dorure du cadre. Il était dit dans le contrat que la peinture de

Étude de l'ange pour *la Vierge aux rochers*, vers 1483
Mine d'argent sur papier brun (fac-similé)
18,2 x 15,9 cm
Florence, Gabinetto dei Disegni e delle Stampe

Cette étude de la tête de l'ange compte parmi les plus beaux dessins de Léonard. La modélisation des traits du visage, fin et vivant, est parfaite. Les traits hachurés, tracés du haut à gauche en bas à droite sont caractéristiques d'un gaucher.

Léonard et son atelier, **La Vierge aux rochers,** vers 1490-1508
Huile sur bois
189,5 x 120 cm
Londres, National Gallery

Dans cette seconde version de *la Vierge aux rochers*, le traitement des couleurs est plus froid et le contraste des ombres et des lumières est plus fort. Le traitement du sujet est plus conventionnel car Léonard ne reproduisit pas le geste mystérieux de l'ange figurant dans la première version, qui se trouve aujourd'hui au Louvre.

Léonard devait représenter « notre très sainte mère et son fils, ainsi que deux prophètes, et que l'œuvre devait être exécutée à l'huile avec le plus grand soin ». Mais Léonard ne tint pas compte de ce programme très conventionnel. Sa *Vierge aux rochers* – ce titre lui sera donné par la suite – montre Marie et l'enfant Jésus en compagnie de Jean-Baptiste encore enfant et d'un ange, dans un paysage rocheux. Léonard ne parvint pas à terminer l'œuvre dans le délai de huit mois qui lui était imparti et cela déboucha sur un procès qui dura quinze ans. Entre-temps, l'œuvre enfin terminée fut offerte en tant que cadeau officiel à l'étranger par Ludovic le More, si bien que Léonard fut contraint avec son atelier d'en exécuter une seconde version.

La Vierge aux rochers,
1483-1490
Huile sur bois
199 x 122 cm
Paris, musée du
Louvre

La tradition chrétienne raconte que le Christ encore enfant reçut la visite de Jean-Baptiste dans une grotte. Dans le tableau de Léonard, Jean-Baptiste adore l'enfant Jésus qui le bénit. Marie lève une main protectrice au-dessus de son enfant, tandis qu'elle entoure Jean-Baptiste de l'autre. La signification de cette gestuelle inhabituelle est difficile à sonder. Le regard de l'ange et son geste qui désigne Jean, établissent le lien avec le spectateur, mais on ne sait pas quelle annonce l'ange est venu faire. La lumière crépusculaire qui éclaire ce paysage fantastique, accroît encore le sentiment de calme et de mystère qui se dégage de l'œuvre. Bien que les rochers et les plantes soient traités de façon naturaliste, la mise en scène reste dans l'ensemble irréelle et immatérielle.

Études d'après nature : plantes et animaux

En établissant la liste des études et tableaux réalisés durant sa période milanaise, Léonard de Vinci nota « beaucoup de fleurs réalisées d'après nature ». Il s'y trouvait peut-être le très beau *Dessin d'un lys* qu'il réalisa, jeune peintre à Florence, pour son tableau de *L'Annonciation* (voir p. 14). Dans ce tableau, le lys, tout en demeurant la représentation naturaliste d'une plante, a valeur de symbole de la virginité de Marie. Tandis que les peintres du Moyen Âge se référaient à des manuels pour créer les plantes et les animaux, les artistes de la Renaissance travaillaient sur les modèles que leur fournissait la nature. Rien que pour son tableau de *La Vierge aux rochers* (voir p. 40) Léonard a réalisé d'innombrables études de plantes. Il attachait une grande importance à restituer dans ses dessins les particularités des plantes jusque dans leurs moindres détails. On peut, la plupart du temps, les considérer comme des dessins de botaniste. La nature était pour lui source inépuisable d'enseignement ainsi qu'il le répète dans ses écrits. L'intérêt qu'éprouvait Léonard pour la botanique fut loin d'être épuisé par les études préparatoires qu'il réalisa pour ses tableaux. Durant ses promenades dans les montagnes, il étudia les arbres, les fleurs et les herbes, ainsi que leur croissance. Il collectionna les plantes et réalisa des moulages en plâtre des feuilles pour mieux étudier l'entrelacs des nervures. On peut lire dans son *Trattato della Pittura*, un traité sur la peinture que son élève Melzi publia après sa mort : « Plus on descend vers le pied de la montagne, plus les arbres sont puissants, plus denses sont leur feuillage et leur branchage ; et le vert est aussi varié que les essences (…), leur ramure est diversement assemblée ; divers également sont leurs branches et leur feuillage qui se différencient aussi par leur forme et leur hauteur : certains d'entre eux ont des troncs étroits

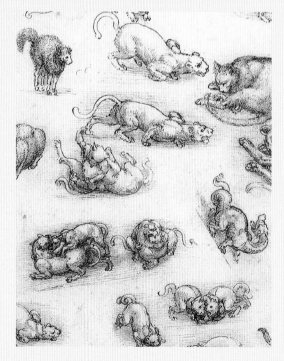

Planche d'esquisses, chats et dragons, 1506
Dessin à la plume et lavis
27 x 21 cm
Windsor, Royal Library

Étude de plante (dessin d'un lys), vers 1475
Craie noire, plume et encre, lavis brun, rehaussé de blanc
31,4 x 17,7 cm
Windsor, Royal Library

comme des cylindres de presse… d'autres des troncs épanouis comme les chênes, les châtaigniers, certains ont de petites feuilles, d'autres se dressent à bonne distance les uns des autres comme les genévriers ou les platanes… » En étudiant la forme extérieure des plantes, Léonard se penchait aussi sur leur structure interne et leur développement. Cette compréhension de la structure interne des

... La nature prend tant de plaisir au changement... que même sous les arbres d'une même essence, on ne trouve aucune plante qui soit exactement semblable à une autre... Alors, fais bien attention à cela et varie autant que tu peux.

Léonard de Vinci

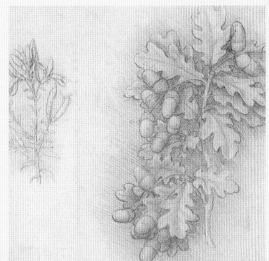

végétaux est perceptible jusque dans ses dessins. Sur une de ses feuilles d'étude portant sur *L'Étoile de Bethléem*, on distingue nettement comment Léonard appréhende la forme de chaque plante et la stylise aussitôt. Leur proximité avec le modèle original confère aux plantes que Léonard dessine dans ses études, une vie qui interdit de les assimiler à des travaux préparatoires froids et académiques en vue d'une toile ultérieure.

Dans l'œuvre de Léonard, les animaux jouent un rôle plus restreint que les plantes si on excepte les nombreuses études de chevaux qu'il réalisa en vue de son monument équestre. Comme par plaisir et sans but concret, il dessinait de temps à autre une planche d'esquisses comme celle représentant des chats dans différentes positions. En y regardant de plus près, on découvre, au milieu des chats jouant et bondissant, un dragon

qui paraît aussi vivant que les « véritables » animaux. Ses contemporains avaient déjà décelé l'intérêt et le penchant de Léonard pour ce qui est vivant. Vasari note : « Souvent, lorsqu'il traversait une place où l'on vendait des pigeons, il en sortait un de sa cage, le prenait entre ses mains, l'achetait au marchand et le laissait s'envoler pour lui rendre sa liberté perdue. »

L'Étoile de Bethléem (sternanemone) et autres plantes, 1505-1508
Sanguine, plume et encre
19,8 x 16 cm
Windsor, Royal Library

Étude de plantes (glands),
vers 1506
Sanguine sur papier rougeâtre, rehaussée de blanc
18,8 x 15,4 cm
Windsor, Royal Library

Au grand étonnement de ses contemporains, Léonard refusait de manger de la viande et était exclusivement végétarien. Dans ses écrits littéraires, on décèle ce même penchant pour la nature vivante. Léonard raconte dans de courtes fables les souffrances, similaires à celles des hommes, qu'éprouvent les arbres ou les animaux.

La Cène

Treize hommes sont assis autour d'une table. Saisis d'une émotion subite, ils en oublient leur repas, la surprise et la révolte se peignent sur leurs visages, leur agitation s'exprime en gestes violents. Le Christ est le seul à garder son calme au milieu de ces jeunes gens bouleversés. C'est lui l'origine et le but de toutes les questions et de toutes les protestations. Il est dit dans la Bible : « En vérité, en vérité, je vous le dis, l'un d'entre vous va me livrer. Les disciples se regardaient les uns les autres, se demandant de qui il parlait… » C'est ce moment précis où le Christ annonce qu'il sera trahi par l'un des siens que Léonard de Vinci a voulu représenter. La scène se passe durant le dernier repas que Jésus prit avec ses disciples avant son arrestation et sa crucifixion. C'est aussi le soir où Jésus

Domenico Ghirlandaio,
La Cène (détail), 1480
Fresque
Florence, Chiesa di Ognisanti

instaura l'Eucharistie : c'est à partir de ce moment-là que le pain et le vin sont devenus les symboles du corps et du sang du Christ. Le tableau exprime ce symbolisme car les bras largement ouverts du Christ orientent le regard du spectateur sur le pain et le vin qui sont placés devant lui.

La Cène se trouve aujourd'hui encore à l'endroit pour lequel elle fut créée : le réfectoire du couvent Santa Maria delle Grazie, à Milan. Ainsi, durant leur repas, les moines avaient-ils sous les yeux, comme dans beaucoup de couvents de Toscane, l'image de celui que partagea leur Seigneur pour la dernière fois. L'œuvre fut commandée et payée par le duc Ludovic le More, car c'était ce couvent qu'il avait choisi pour y faire inhumer les membres de sa famille. On peut d'ailleurs noter que ses armes figurent en haut du tableau. *La Cène* occupe tout le petit mur du réfectoire et elle est, avec ses neuf mètres de large, la plus grande œuvre jamais peinte par Léonard. Il a, avec *La Cène*, trouvé la forme classique de ce thème (on peut dire qu'il ne fut jamais surpassé) et a réussi à représenter cet instant de la vie du Christ avec une intensité et une force extraordinaires.

Étude pour *La Cène*, figures mathématiques et calculs (détail), vers 1495-1497
Dessin à la plume (fac-similé)
26 x 21 cm
Florence, Gabinetto dei Disegni e delle Stampe

Tandis que sur la droite du Seigneur… apparaît la menace d'une vengeance imminente, se manifeste sur sa gauche l'horreur la plus vive et le dégoût face à la trahison. Jacques-le-Majeur recule de terreur, écarte les bras, regarde fixement devant lui, la tête penchée, comme quelqu'un qui croit voir une monstruosité de ses propres yeux.

Johann Wolfgang von Goethe

En comparant ce tableau avec *la Cène* de Domenico Ghirlandaio, on ne peut que mettre en lumière l'expressivité de l'œuvre de Léonard. Les apôtres ne sont pas alignés de façon statique mais groupés par trois de façon dynamique et liés étroitement les uns aux autres par leur gestuelle. La figure centrale du Christ se détache, entourée comme par une auréole, du lumineux paysage en arrière-plan. Il constitue en même temps le point de fuite de la construction en perspective vers lequel convergent toutes les lignes de fuite. Léonard a pour la première fois introduit Judas dans le groupe des apôtres, à la gauche du Christ, et seul son mouvement de recul et d'effroi permet de l'identifier. *La Cène* fut admirée et copiée déjà du vivant de Léonard. Nombre d'artistes s'en sont également inspirés par la suite, de Rembrandt et Antoine Van Dyck jusqu'à Salvador Dalí et Andy Warhol.

La Cène, 1495-1497
Huile et détrempe
sur mortier
422 x 904 cm
Milan, Santa Maria delle Grazie

Gestuelle et mimique – l'art de l'expression

La Cène de Léonard de Vinci est l'aboutissement d'une longue suite d'études et de réflexions sur l'expressivité dans la peinture de la gestuelle et de la mimique. Léonard a écrit à ce propos : « Un bon peintre a, au fond, deux choses à peindre, l'homme et son état d'esprit. La première chose est facile, la seconde difficile car on doit l'exprimer par des gestes et des mouvements. On a en ce domaine beaucoup à apprendre des sourds-muets car ils se débrouillent bien mieux que les autres hommes. »

Léonard a, avec *La Cène*, donné un exemple magistral de son propos. Par sa gestuelle, chaque apôtre exprime une disposition d'esprit différente. Goethe, qui admirait beaucoup le tableau, a écrit à son sujet : « Seul un Italien pouvait trouver ça. Pour cette nation, c'est le corps tout entier qui exprime l'âme, chaque membre participe à l'expression des sentiments, de la passion et même des pensées. » Au-delà du répertoire des gestes conventionnels en peinture – tels la bénédiction, le salut, l'adoration – Léonard a cherché des gestuelles aussi nouvelles qu'expressives. Le corps et le visage étaient censés rendre perceptible, de façon naturelle et pour un large public, ce qui se tramait dans la tête des personnages. Aussi fallait-il éviter toute

Grotesques (détail), vers 1490
Dessin à la plume (fac-similé)
Florence, Gabinetto dei Disegni e delle Stampe

Léonard utilisa aussi les ressources de la caricature parmi ses nombreuses études sur la physionomie du visage humain. Dans ce dessin, il pousse l'exagération des traits jusqu'au grotesque. Mais pour l'artiste, il ne s'agit pas ici d'obtenir un effet comique comme dans la caricature. Probablement essaya-t-il de pousser les possibilités expressives de la mimique jusqu'aux frontières du naturel. L'horrible intéressait Léonard autant que la beauté idéale. Giorgio Vasari relate qu'il était souvent si fasciné par les êtres aux traits inhabituels, ou portant une barbe ou une chevelure dont la coupe s'avérait étrange, qu'il l'aurait volontiers suivi toute la journée. Les dessins de grotesques de Léonard de Vinci furent dès le XVIIe siècle largement répandus par le biais de gravures et eurent un grand retentissement auprès des artistes et des collectionneurs.

La Cène (détail),
1495-1497
Huile et détrempe sur
maçonnerie
Milan, Santa Maria
delle Grazie

Les visages de
Barthélémy, de
Jacques et d'André,
sur le côté gauche de
l'œuvre, expriment
l'indignation,
la tension et
la répulsion.

La Cène (détail),
1495-1497
Huile et détrempe
sur maçonnerie
Milan, Santa Maria
delle Grazie

L'apôtre Simon, sur le
bord droit de la table,
lève les mains en un
geste d'interrogation.

exagération. « C'est ainsi que j'ai vu récemment l'ange d'une Annonciation qui donnait l'impression de vouloir chasser la Vierge de la pièce et gesticulait comme s'il proférait une malédiction sur un misérable ennemi, tandis que la Vierge en proie au désarroi le plus total semblait vouloir se jeter par la fenêtre. » Pour éviter de semblables erreurs, Léonard conseillait aux artistes d'observer les gens dans la rue et de noter leurs mouvements dans un carnet d'esquisses. Pour *La Cène*, Léonard dressa une liste d'attitudes possibles qu'il utilisa partiellement dans son tableau : « L'un écarte les mains, les paumes offertes, et enfouit la tête dans les épaules, l'air stupéfait. Un

autre parle à l'oreille de son voisin tandis que ce dernier se tourne vers lui…, un autre encore, qui tient un couteau, renverse de la main, en se retournant, un verre posé sur la table. » Pour les visages des apôtres, Léonard chercha des modèles ayant une tête caractéristique dans des tavernes ou des hôpitaux et pensa prendre pour la tête du Christ un noble Milanais comme modèle. On raconte qu'il aurait un jour menacé le prieur du couvent avec qui il était en conflit de donner ses traits à Judas.

**Tête de l'apôtre
Jacques et étude
d'architecture
(étude préparatoire
pour La Cène),**
vers 1495-1498
Sanguine, plume et
encre sur papier
25,2 x 17,2 cm
Windsor, Royal
Library

Cette étude d'après
modèle et le visage
de Jacques-le-Majeur
dans *la Cène* sont
traités sous le même
angle. Dans ses traits
se mêlent
stupéfaction, peur
et sombres
pressentiments.

L'art et l'expérimentation – art de peindre et restauration

Il avait coutume… de monter tôt le matin sur l'échafaudage, car la Cène se trouve relativement surélevée par rapport au sol, et d'y rester de l'aube au crépuscule, le pinceau à la main, pour peindre sans songer à manger ni à boire.

Matteo Bandello, écrivain contemporain de Léonard de Vinci

Lorsque Giorgio Vasari vit *la Cène* en 1556, il ne put que constater l'état de délabrement de la fresque. Au cours des siècles qui suivirent, on ne cessa de se lamenter sur le fait que l'œuvre était de plus en plus endommagée. Très tôt, on a mis en cause la façon de peindre de Léonard de Vinci, en accusant sa technique d'être responsable de ce processus de dégradation irrémédiable. Contrairement à ses contemporains, Léonard ne pratiquait pas l'art éprouvé de la fresque, qui consiste à peindre sur un enduit à la chaux encore frais, presque humide. Il développa au contraire une nouvelle technique de peinture murale pour – comme l'y avait accoutumé la pratique de la peinture à l'huile – pouvoir travailler plus longuement sans craindre que l'enduit ne sèche. D'après les restaurateurs, il travaillait à l'huile et à la détrempe sur un fond composé de résine et de poix. Toute sa vie durant, Léonard de Vinci chercha à découvrir de nouvelles techniques de peinture et à améliorer les mélanges de couleurs traditionnels. Déjà durant son apprentissage

À droite :
La Cène (détail, état après restauration), 1495-1497
Huile et détrempe sur maçonnerie
Milan, Santa Maria delle Grazie

À gauche :
La Cène,
Milan, Santa Maria delle Grazie
Photographie des travaux de restauration entrepris sur l'œuvre de Léonard, 1982

La Cène (état après restauration), 1495-1497
Huile et détrempe sur maçonnerie
422 x 904 cm
Milan, Santa Maria delle Grazie

chez Andrea del Verrocchio, il s'initia à la peinture à l'huile qui était à l'époque une nouveauté en Italie. On trouve dans ses notes, des recettes pour des fonds, des liants et des vernis. L'artiste y décrit comment obtenir un vernis à partir de résine de cyprès ou de genévrier mélangée à de l'huile de noix. Il découvrit le pastel en mélangeant des

pigments à de la cire et ouvrit ainsi de nouveaux horizons à l'art du coloriste. Mais les tentatives de Léonard pour découvrir une technique de peinture murale stable dans le temps ne furent pas couronnées de succès. Si on les compare à ses toiles peintes à l'huile et qui, elles, ont bien résisté au temps, ses peintures murales – *La Cène*, les décorations du château des Sforza et *La Bataille d'Anghiari* (voir p. 60) – sont dans un état déplorable ou ont disparu.
Néanmoins, beaucoup d'indices laissent penser que la nouvelle technique mise au point par Léonard n'est pas la seule responsable de la destruction de *La Cène* : l'humidité du mur sur lequel elle a été peinte en serait la cause principale. Le manque d'entretien, les inondations et les guerres ont fait le reste. La couleur commença à s'écailler tandis que des traces de moisissure ne cessaient d'apparaître à la surface. *La Cène* a dû être restaurée d'innombrables fois au

cours des dernières deux cent cinquante années. De nombreuses couches de peinture ainsi que diverses tentatives de conservation ont altéré en profondeur la substance de l'œuvre. La restauration la plus récente, qui a duré plus de vingt ans, ne s'acheva qu'au printemps 1999. On a dû retirer, millimètre par millimètre, les couches de peinture rajoutées ainsi que les couches de crasse, pour rendre à nouveau visible l'œuvre de Léonard. Aussi, les couleurs semblent-elles sensiblement plus vigoureuses qu'auparavant. Aux endroits où le mur apparaît à nu, on a très prudemment fait des retouches à l'aquarelle afin de pouvoir les supprimer à tout moment.

À droite et à gauche :
La Cène (détail, état avant restauration),
1495-1497
Huile et détrempe sur maçonnerie
Milan, Santa Maria delle Grazie

Un rêve : voler

Tu essaieras cet appareil au-dessus d'un lac et tu fixeras à ta ceinture un tuyau rempli d'air pour ne pas te noyer si tu tombes à l'eau.

Léonard de Vinci

Rien n'a autant préoccupé Léonard de Vinci que le rêve de voler. Le désir de s'élever dans les airs comme un oiseau est l'un des plus vieux rêves de l'humanité. Le très ancien mythe d'Icare raconte déjà la tentative de vol du jeune homme avec des ailes composées de plumes fixées avec de la cire. Par la suite, les récits abondent d'hommes étant parvenus à voler. Ainsi, au XIIIᵉ siècle, le philosophe anglais Roger Bacon décrit les caractéristiques d'une machine susceptible de voler. Les ingénieurs de la Renaissance italienne, au XVᵉ et au XVIᵉ siècle, se sont aussi intéressés à l'utopie de l'homme volant. Mais il faudra attendre la première ascension en ballon des frères Montgolfier, en 1783, pour que l'utopie devienne réalité. Les premières esquisses de Léonard consacrées à des machines volantes remontent à sa première période créatrice à Florence. Plus tard, à Milan, il consacrera beaucoup de temps et

d'énergie à ses projets aéronautiques. Plus ses connaissances en matière de lois physiques des poids, des forces et du mouvement s'accroîtront, plus il estimera la solution du problème à sa portée. C'est avec un infatigable désir d'expérimentation et une imagination sans bornes qu'il imaginera les machines volantes les plus diverses. On y trouve de simples parachutes sous lesquels l'homme volant s'accroche avec les mains, des planeurs avec des voiles

Modèle d'un parachute, d'après les plans de Léonard de Vinci Amboise, Le Clos Lucé

horizontales mais aussi des appareils plus compliqués avec des ailes mobiles que le pilote était censé mettre en mouvement avec les mains et les pieds, à l'aide d'un mécanisme ingénieux de poulies et de cordages. Léonard s'inspirait de la nature pour imaginer ses machines. Il pensait : « L'oiseau est un instrument qui fonctionne selon les lois mathématiques et l'homme n'a qu'à mettre au point une machine susceptible de reproduire chacun de ces mouvements. » Pour tester la fonctionnalité de ses projets, Léonard réalisa de petites maquettes en cire et

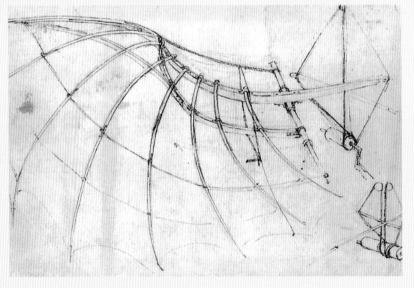

Projet pour un oiseau mécanique, 1493-1495
Craie noire, plume et encre
50 x 30 cm
Codex Atlanticus, folio 313 ra
Milan, Biblioteca Ambrosiana

Dessin d'un parachute,
vers 1500
Dessin
30 x 50 cm
Codex Atlanticus, Folio 38 Iv
Milan, Biblioteca
Ambrosiana

**Esquisse d'un hélicoptère/
vis aérienne** (détail d'une
feuille d'esquisses)
1487-1490
Dessin
Manuscrit B, Folio 83 v
Paris, Institut de France

en papier. À propos de son projet « d'hélicoptère », il note : « Si cet instrument est correctement réalisé en forme de vis… et si on parvient à lui donner un mouvement suffisamment rapide, alors la vis fonctionnera comme une aile et l'appareil pourra s'élever très haut. » Mais la réalisation de ces projets à grande échelle posa des problèmes insurmontables. Pour pouvoir maintenir en suspension à la fois le poids du pilote et celui de la machine, il eut fallu développer une énergie colossale. Il est probable que Léonard serait parvenu à construire un planeur ressemblant aux actuels cerfs-volants si, à la place du bois, de la toile et du cuir, il avait pu utiliser les

matériaux légers dont nous disposons aujourd'hui. On n'est pas sûr qu'il ait lui-même tenté de voler. Toujours est-il qu'il reconnut n'avoir jamais réussi aucune expérimentation de ses projets. Mais il n'en continuera pas moins à étudier le vol des oiseaux jusque dans sa vieillesse. Ses observations lui permirent de décrire avec exactitude chacune des phases du vol d'un oiseau. Il décrivit celui-ci avec du vent et sans vent, réfléchit sur les problèmes d'équilibre pendant le vol et développa des théories sur l'air, telles que la résistance de l'air et la poussée, qui furent par la suite étudiées sur le plan scientifique.

Les années troublées 1499–1506

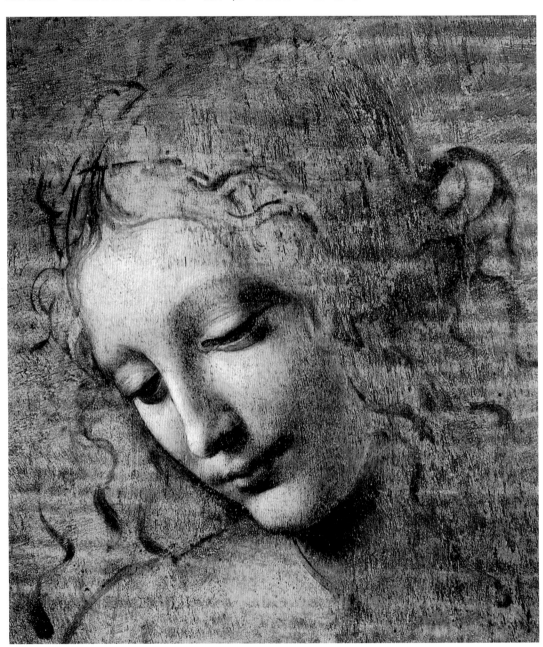

Le séjour de Léonard de Vinci à Milan, au service de Ludovic le More, dura des années mais fut brutalement interrompu par l'arrivée des troupes françaises. À la recherche d'un autre mécène, Léonard quitte la Lombardie et rentre dans sa ville natale par Mantoue et Venise. Il accepte les commandes de différentes toiles sans en terminer aucune et consacre une grande partie de son temps à étudier les mathématiques. Puis il travaille dix mois durant comme ingénieur pour le maréchal César Borgia et voyage sur les terres de ce dernier en Toscane et en Ombrie. Finalement, il rentre à Florence où l'État lui commande une grande peinture murale pour le palais Vecchio : *La Bataille d'Anghiari*. Il y rencontrera, en ce début de XVIᵉ siècle, les plus grands artistes de son temps : Michel-Ange lui fera une vive concurrence tandis que le jeune Raphaël d'Urbino étudiera son œuvre avec grand intérêt, et notamment *La Joconde*, encore inachevée.

Le premier globe terrestre

1500 Le géographe Martin Behaim crée le premier globe terrestre.

1502 Fondation de l'Empire perse par Ismaël Iᵉʳ.

1504 Création de la poste. Franz von Taxis crée la première liaison postale entre diverses villes européennes.

1506 Le pape Jules II pose la première pierre du nouvel édifice de Saint-Pierre de Rome.

Le maréchal César Borgia

1499 En octobre, Léonard de Vinci perd son mécène, Ludovic le More, déposé par les Français. Il voyage avec quelques élèves et s'arrête à la cour de Mantoue.

1500 Long voyage jusqu'à Florence en passant par Venise.

1501 Travaille au projet d'un tableau, *Sainte Anne Selbdritt*. Études mathématiques.

1502 Léonard devient ingénieur militaire du maréchal César Borgia.

1503 Retour à Florence. Contrat pour *la Bataille d'Anghiari* destinée au palais Vecchio.

1504 Mort de son père.

1505 Probable voyage à Rome au printemps. Études sur le vol des oiseaux. Il travaille à *La Joconde*.

À gauche :
La Scapigliata, vers 1500
Ombre et blanc de plomb sur bois de peuplier
27,7 x 21 cm
Parme, Pinacoteca Nazionale

À droite :
Neptune, 1503-1504
Dessin à la craie
25,1 x 39,2 cm
Windsor, Royal Library

Nouveaux mécènes et nouveaux contrats

Léonard de Vinci s'est toujours tenu à l'écart des conflits politiques de son temps. Mais lorsque les Français se mêlèrent des affaires italiennes et envahirent la Lombardie et Milan, sa capitale, en 1499, sous Louis XII, il fut bien contraint de composer avec la nouvelle donne politique. Après la fuite de Ludovic le More, son commanditaire depuis des années, Léonard entra en contact avec les Français. Certes, les troupes françaises avaient, en envahissant la ville, gratuitement endommagé le monument équestre à la gloire des Sforza mais le roi de France se montra fortement impressionné par Léonard de Vinci. Il aurait volontiers emporté *La Cène* en France. Mais la situation politique restait trop incertaine à Milan et Léonard décida de quitter la ville en décembre 1499. Il fit d'abord route pour Mantoue en compagnie de ses élèves et d'un ami, le mathématicien Luca Pacioli. Là, à la cour d'Isabelle d'Este, belle-sœur de Ludovic le More, il était sûr d'être somptueusement reçu. Cette princesse, amie des arts,

Plan d'Imola, 1502
Aquarelle, plume et encre (fac-similé)
44 x 60,2 cm
Vinci, Museo Vinciano

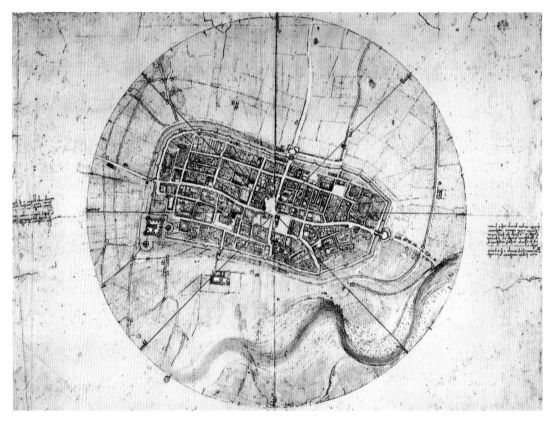

Portrait d'Isabelle d'Este, 1500
Craie noire et sanguine sur carton
46 x 36 cm
Paris, musée du Louvre

Isabelle d'Este était un amateur d'art averti et un mécène entretenant de nombreux artistes.

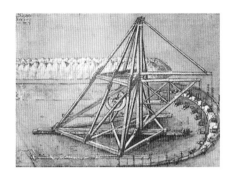

Pompe, vers 1503
Craie, plume et encre sur papier
40 x 22 cm
Codex Atlanticus I, folio I v-b
Milan, Biblioteca Ambrosiana

Léonard conçut probablement cette pompe en liaison avec son projet spectaculaire de détourner le cours de l'Arno. Il pensait en effet pouvoir, à l'aide de semblables machines, surélever le cours de l'Arno dans un canal décrivant une large courbe au nord. Comme dans beaucoup de ses projets, Léonard avait pour but de multiplier la force humaine par le biais des machines. Deux mille ouvriers participèrent aux travaux de terrassement qui commencèrent durant l'été 1504, mais le chantier dut être abandonné en raison de difficultés insurmontables.

appréciait sa peinture et lui demanda aussitôt de faire son portrait. Léonard quitta Mantoue après avoir dessiné le carton préparatoire du tableau. Il ne s'arrêta guère plus longtemps à Venise où il rencontra très certainement des collègues, le vieux Giovanni Bellini ou le jeune Giorgione (voir p. 57). Il se préoccupa, en passant, de concevoir des plans pour renforcer les frontières est de l'État contre les menaces d'agression turque et rentra à Florence au plus tard en avril 1500. Durant son absence, le contexte politique avait fondamentalement changé. Les Médicis avaient été écartés du pouvoir en 1494 et remplacés par une république dont l'une des têtes dirigeantes était le secrétaire d'État, Nicoló Maccia. Léonard put établir son atelier dans un couvent de la ville et reçut la commande d'un retable représentant Sainte Anne Selbdritt. Mais il lui manquait souvent la patience de peindre. Un contemporain remarqua que Léonard vivait au jour le jour et se consacrait souvent à ses études géométriques. Dans une certaine mesure, la proposition du maréchal César Borgia tomba à pic lorsque ce dernier lui demanda d'être

son ingénieur militaire. Dix mois durant, Léonard voyagea dans le centre de l'Italie, à la suite de ce politicien imbu de pouvoir et sans scrupule, et qui était par ailleurs fils illégitime du pape. Il inspira des places fortifiées et dessina des plans comme celui de la ville d'Imola. De retour à Florence, il devint conseiller du gouvernement de la ville en faisant des plans pour couper l'eau à la ville de Pise, ennemie de Florence, en détournant le cours de l'Arno. Lorsque le projet s'avéra irréalisable, Léonard conçut de nouveaux plans pour détourner l'Arno, à des fins pacifiques cette fois. Mais son intention d'utiliser l'eau comme source d'énergie et pour irriguer les campagnes ne déboucha sur aucune réalisation concrète.

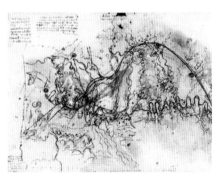

Le Détournement de l'Arno, vers 1503
Craie et encre
35,5 x 48,2 cm
Windsor, Royal Library

Cette carte du nord de la Toscane montre le tracé prévu par Léonard pour son canal situé au nord du cours normal du fleuve.

La découverte du paysage

Un paysage est un morceau de nature, une partie de l'environnement de l'homme, montagnes, fleuves et vallées, champs et prairies. Au Moyen Âge, on concevait le paysage avant tout comme une création divine que l'homme, depuis Adam et Ève, devait travailler à la sueur de son front. Aussi la représentation des paysages ne jouait-elle presque aucun rôle dans la peinture et depuis

longtemps. On se contentait de peindre grossièrement quelques arbres et quelques roches en arrière-plan pour créer le décor d'une scène. Mais les hommes de la Renaissance virent la nature avec d'autres yeux que ceux du Moyen Âge. C'est au XVe siècle que l'on découvrit le charme esthétique que pouvait avoir un paysage. Un très ancien dessin à la plume de Léonard (voir p. 9) semble

Albrecht Dürer,
Montagnes italiennes,
1494-1495
Aquarelle
21 x 31,2 cm
Oxford, Ashmolean Museum

Bruyère, 1498-1500
Sanguine (fac-similé)
19,1 x 15,3 cm
Florence, Gabinetto dei Disegni e delle Stampe

bien être la première vraie étude de paysage de l'histoire de l'art. Elle ne semble pas avoir été réalisée d'après nature et est pour le moins partiellement un paysage imaginaire. C'est l'Allemand Albrecht Dürer (1471-1528) qui sera le premier à réaliser des paysages au sens naturaliste du terme. Ses voyages en Italie au cours desquels il traversa les Alpes en 1495 et 1506 lui donneront l'occasion de créer de grandioses aquarelles représentant des paysages montagneux avec une exactitude quasi topographique. Mais, durant des siècles encore, le paysage n'existera pas

indépendamment de la représentation d'une scène où interviennent des personnages. Néanmoins, à partir du XVe siècle, les paysages qui servent d'arrière-plan aux portraits et aux scènes religieuses gagnent peu à peu en vie et en réalisme. Les peintres découvrent la perspective aérienne comme possibilité de donner une profondeur de champ à leurs paysages, en peignant objets et personnages de plus en plus pâles et bleutés, au fur et à mesure qu'ils se rapprochent de l'horizon. Certes, les collines dans les tableaux de la pré-Renaissance donnent encore l'impression de n'être que de simples coulisses. Il faudra attendre Léonard de Vinci pour que, grâce à la profondeur de champ, le paysage donne son unité au tableau. Il parviendra à intégrer tous les éléments, arbres, fleuves et rivières, montagnes et ciels, dans une unité globale de l'œuvre, en jouant de façon imperceptible sur les effets de profondeur. Les études réalisées par Léonard en plein air seront à l'origine de ce progrès capital. Ainsi put-il établir que les objets apparaissent de plus en plus flous au fur et à mesure que s'en éloigne celui qui les regarde. Léonard ne concevait pas le paysage comme un ensemble d'objets immuables et statiques mais, au contraire, il percevait fort bien que la vision de la nature était sujette à des variations en fonction de l'ombre et de la lumière, de l'heure de la journée, du temps et de la saison. Il écrit dans ses notes préparatoires à un traité sur la peinture : « Les caractéristiques changeantes ou prédominantes du feuillage des arbres sont : ombre, lumière, éclat et transparence… » ou « Lorsque tu vois les arbres du côté éclairé par le soleil, tu les verras tous éclairés pratiquement de la même façon et les ombres que recèle l'intérieur de leur feuillage te seront cachées par les feuilles éclairées qui feront écran entre elles et tes yeux. » De telles

remarques ainsi que de nombreuses esquisses font penser à la démarche des peintres impressionnistes du XIXe siècle qui tentaient de restituer dans leur œuvre l'impression de l'instant fournie par les jeux de lumière et de couleur. Dans les tableaux de Léonard, les paysages d'arrière-plan sont une composante inséparable de l'ensemble de l'œuvre. On ne peut pas envisager un tableau comme *La Joconde*

(voir p. 63) sans ce paysage évanescent en arrière-plan. Cette aptitude de la peinture paysagère à suggérer une ambiance fut aussi l'une des découvertes du peintre vénitien Giorgione (vers 1477-1510). Dans son tableau *L'Orage*, il fait pour la première fois du paysage le sujet de l'œuvre. C'est la couleur qui construit le tableau et qui en constitue le lien entre les parties. Bien que le tableau ne raconte aucune histoire

Giorgione,
L'Orage (La Tempesta),
vers 1506
Huile sur toile
82 x 73 cm
Venise, Galleria
dell'Accademia

décelable et qu'il soit encore aujourd'hui difficile d'en percevoir le sens profond, il impressionne profondément le spectateur par le charme rêveur et poétique du paysage.

Rivalités d'artistes : Florence en 1500

Entre 1503 et 1506 se rencontrèrent à Florence, pour la première fois, deux des grands génies de la Renaissance : Léonard de Vinci et Michel-Ange Buonarroti. Léonard avait à cette époque 50 ans passés et derrière lui une carrière considérable, tandis que Michel-Ange, plus jeune, commençait juste à faire parler de lui avec ses premières œuvres importantes. Formé dans sa

Ci-dessus :
Le palais Vecchio à Florence,
construit en 1299-1382, photographie

Ci-contre :
Michel-Ange,
David, 1501-1504
Marbre
Hauteur : 434 cm
Florence, Galleria dell'Accademia

Première sculpture monumentale depuis l'Antiquité, *David* incarne la vision habituelle qu'on avait de l'homme à la Renaissance : mince, fort, idéalement beau. Une commission d'artistes, qui comptait Léonard parmi ses membres, décida de faire du *David* le symbole de la République libre de Florence et de l'installer devant le palais Vecchio.

jeunesse à Florence, il était revenu sur les bords de l'Arno en 1501 après un séjour à Rome. Lorsque, quelque temps plus tard, Raphaël, âgé de 21 ans, arriva d'Urbino, les trois personnalités artistiques qui devaient marquer le passage à l'âge d'or de la Renaissance furent ainsi réunies un bref moment à Florence. Non seulement leur conception de l'art mais aussi leurs personnalités étaient fort différentes.

Raphaël, le plus jeune, profita au cours de son développement artistique des découvertes tant de Léonard que de Michel-Ange et son art « aimable » ne suscita aucune polémique. Mais entre ses deux collègues plus âgés, les tensions furent d'emblée nombreuses. Il était d'ailleurs dans les pratiques du temps d'établir une certaine concurrence entre les artistes : on considérait en effet qu'elle suscitait une émulation qui ne pouvait que les amener à se surpasser. Le biographe Vasari relate que la rivalité entre Léonard et Michel-Ange avait poussé les

À droite :
Aristotile ou Bastiano
da Sangallo,
**Copie du carton
de *La Bataille de
Cascina* de Michel-
Ange Buonarroti,**
vers 1542
Grisaille sur toile
Wells-next-the-Sea,
Holkham Hall,
Collection Earl of Leister

On ne connaît le
projet de Michel-
Ange pour *La Bataille
de Cascina* que par cette copie. La
peinture murale
prévue pour le palais
Vecchio ne fut jamais
réalisée. La scène
présentait les soldats
florentins surpris par
leurs ennemis alors
qu'ils se baignaient
dans l'Arno. Cette
composition marqua
les contemporains
avant tout par sa
représentation
parfaite du nu
masculin dans
différentes positions.

**Étude de nu
masculin** (détail
d'une feuille
d'études), vers 1504
Craie noire, plume et
encre
Windsor, Royal
Library

Lors de son séjour
à Florence, Léonard
fut impressionné par
les nus musculeux
et héroïques de
Michel-Ange. Mais
il n'en récuse pas
moins l'idée de
souligner trop
nettement le jeu
des muscles afin
que le personnage
humain ne ressemble
pas à « un sac rempli
de noix ». Dans cette
étude de nu, Léonard
a très fidèlement
reproduit l'attitude
du *David* de Michel-
Ange mais en
augmentant les
proportions.

deux artistes jusqu'à des altercations en pleine rue. Tandis que Michel-Ange tenait la sculpture pour la forme d'art la plus achevée, Léonard proférait dans ses écrits un certain mépris à son égard. Elle était selon lui : « un travail purement mécanique qui le faisait souvent beaucoup transpirer… son visage est maculé de poussière de marbre et il ressemble à un mitron. » C'est en 1503 que leur rivalité déboucha sur une concurrence concrète lorsque le gouvernement de Florence demanda à Léonard et à Michel-Ange de décorer la grande salle du conseil du palais Vecchio en y relatant des événements constitutifs de l'histoire de la ville. Ni *La Bataille d'Anghiari* de Léonard ni *La Bataille de Cascina* de Michel-Ange ne furent terminées car d'autres commandes empêchèrent les deux artistes d'achever leur travail.

La Bataille d'Anghiari

Le vendredi 5 juin 1505, Léonard de Vinci note : « À 13 heures sonnantes, j'ai commencé à peindre dans le palais et, au moment où je prenais le pinceau, il se mit à faire mauvais temps... Le carton se déchira, l'eau se mit à ruisseler et le récipient dans lequel on l'évacuait se brisa. Le temps ne cessa d'empirer et il plut à torrents jusqu'au soir... » Léonard travaillait à *La Bataille d'Anghiari* depuis deux ans et s'apprêtait à commencer à peindre sur le mur de la grande salle du Conseil du palais Vecchio. Comme il l'avait déjà fait pour *La Cène*, il expérimentait encore une fois une technique nouvelle à base d'une sorte d'encaustique préparée avec un liant à la cire, recette qu'il avait lu dans les écrits de Pline. Hélas, ne nous sont parvenus de l'œuvre que des dessins préparatoires et des copies partielles.

Le thème du tableau était la bataille victorieuse livrée par les soldats florentins à Anghiari, près d'Arrezo, en 1441 contre les troupes milanaises. Léonard ne représenta pas l'exacte réalité historique de l'événement mais restitua l'atmosphère globale d'une bataille. *La Bataille d'Anghiari* s'inscrit dans une tradition de combats héroïques de chevaliers qui remonte à l'Antiquité. Les scènes de bataille que peignit Paolo Uccello pour les Médicis constituent un célèbre exemple du genre à l'époque de la pré-Renaissance italienne. Mais *La Bataille d'Anghiari* se différencie des

toiles qui l'ont précédée par le dynamisme de sa composition et sa force évocatrice. Les corps des combattants et leurs chevaux sont coincés les uns sur les autres dans un espace fort réduit. Ils se battent avec acharnement pour la possession de l'étendard. La force contenue dans chaque mouvement éclate au centre du groupe, donnant l'impression d'une énergie paroxystique. On peut déduire des dessins préparatoires de Léonard, qu'il avait prévu d'autres groupes de combattants de chaque côté de la scène centrale de la bataille pour étoffer sa composition. Léonard n'avait réalisé sur le mur qu'une petite par-

Étude de visage pour *la Bataille d'Anghiari*, vers 1503-1504
Dessin à la craie (fac-similé)
21,7 x 11,9 cm
Florence, Gabinetto dei Disegni e delle Stampe

Léonard parlait de la guerre comme « une folie hautement bestiale ». Dans ses études pour *La Bataille d'Anghiari*, il traduit l'excitation des combattants par la crispation de leurs traits.

La Bataille d'Anghiari (Tavola Doria),
1503-1505
Huile sur bois de peuplier, 85 x 115 cm
Munich, Collection Hoffmann

On ne sait si cette esquisse à l'huile est de la main de Léonard ou a été exécutée d'après son œuvre inachevée. Malgré son caractère fragmentaire, on perçoit l'extraordinaire qualité du projet. La composition, compacte, est animée d'une telle dynamique interne qu'elle paraît sur le point d'exploser.

tie de l'œuvre, lorsqu'il interrompit son travail en 1506 et partit pour Milan. Les restes de l'œuvre inachevée disparurent cinquante ans plus tard lorsqu'un autre peintre décora le mur. Un texte de Léonard peut également donner une idée de sa vision d'une bataille : « La poussière doit être teintée de sang et devenir une boue rouge… D'autres doivent mourir en serrant les dents, en roulant des yeux, en pressant leurs poings sur leur corps, les jambes tordues… et la terre retournée porte les traces des pas des hommes et des chevaux… ».

Pierre Paul Rubens, **Carton d'après *La Bataille d'Anghiari* de Léonard de Vinci,** 1603
Craie noire, crayon et aquarelle
45,2 x 63,7 cm
Paris, musée du Louvre

Le dessin que fit Rubens sur le même thème donne une idée de ce que fut *la Bataille d'Anghiari*. Les toiles de ce peintre sont à peine imaginables sans le modèle que fut pour lui Léonard de Vinci.

La Joconde

Le portrait de celle qu'on appelle *La Joconde* devait originellement s'intituler *Portrait d'une dame*. On n'a jamais pu établir avec certitude qui était la dame qui avait servi de modèle. On s'entend aujourd'hui pour dire, ainsi que le suggère Giorgio Vasari, que Léonard a fait le portrait de la femme du marchand florentin Francesco del Giocondo. Si dans certains pays comme l'Allemagne, le tableau s'intitule *Mona Lisa*, les Italiens parle de *la Gioconda* et les Français de *la Joconde*. Léonard de Vinci aurait pu obtenir la commande de ce portrait en 1503 quand la jeune femme avait 24 ans. D'autres sources laissent penser qu'il s'agirait d'une commande de Giuliano de Médicis et qu'il s'agirait « d'une certaine dame », probablement une courtisane. Au premier

Piero della Francesca,
Portrait de Battista Sforza
(détail), vers 1465
Détrempe sur bois
Florence, Galleria degli Uffizi

Piero della Francesca,
Portrait de Federico Da
(détail), vers 1465
Détrempe sur bois
Florence, Galleria degli Uffizi

Raphaël,
Portrait de Maddalena Doni, vers 1505
Huile sur bois
63 x 44 cm
Florence, Palazzo Pitti

regard, la composition paraît presque trop simple. La dame représentée est assise dans un fauteuil devant un paysage figuré au loin. On reconnaît derrière elle la balustrade d'une loggia ouverte. Deux colonnes ont été supprimées sur les côtés quand le tableau a été coupé. À l'inverse de beaucoup de portraits de l'époque, ne sont pas seuls visibles le visage et les épaules du personnage. Le maintien de la dame est parfait : elle regarde le spectateur et tourne légèrement le torse de côté ; ce qui donne vie au personnage et rend la

composition harmonieuse. Les mains entrelacées augmentent l'impression d'harmonie qui se dégage de la composition et confèrent au personnage une dignité calme. Le légendaire sourire de *La Joconde* est en fait à peine perceptible : de légères ombres aux commissures des lèvres et autour des yeux. Lorsque le spectateur croit la voir sourire, elle ne tarde pas à lui paraître sérieuse et impénétrable. Un très léger flou, presque imperceptible, ce qu'on appelle le sfumato (voir p. 76), permet à Léonard de susciter une vague impression de mouvement en évitant la raideur et le manque de naturel qui sont le travers de beaucoup de portraits. Même les éléments du paysage paraissent bouger doucement et se fondre les uns dans les autres. Le

C'était pour lui comme si elle replongeait dans le paysage mystérieux en arrière-plan, comme dans les voiles d'une eau verte et profonde.

Georg Heym, poète expressionniste (1887-1912)

personnage et le paysage sont travaillés ton sur ton. Aucune ornementation, aucun faste superflu ne viennent perturber l'expression de la vie intérieure, thème du tableau.

Il est probable qu'au fil de son travail, qui s'étala sur des années, Léonard s'affranchit peu à peu de son sujet originel et que ce portrait réaliste au départ devint progressivement celui d'une beauté idéale, une œuvre d'art autonome. Léonard ne se sépara jamais de ce tableau et le conserva toujours avec lui. Raphaël a dû le voir dans l'atelier du maître avant qu'il ne soit encore achevé. Son *Portrait de Maddalena Doni* présente son personnage dans une attitude similaire à celle de *Mona Lisa*. Mais Raphaël n'a repris ni le sourire entendu ni le paysage brumeux ni la tonalité sombre des couleurs. Aussi existe-t-il un monde entre le charme mystérieux de *la Joconde* et la limpidité du tableau

La Joconde,
1503-1506
Huile sur bois
77 x 53 cm
Paris, musée du Louvre

Le mythe de la Joconde

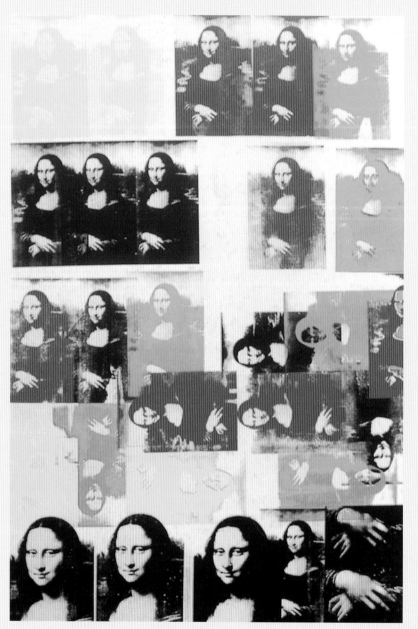

La Joconde est le tableau le plus célèbre de Léonard de Vinci et probablement l'œuvre d'art la plus célèbre au monde. Tout le monde la connaît, que ce soit par l'original au Louvre ou ne serait-ce que par les innombrables reproductions dans les livres, les cartes postales, les plaquettes publicitaires, et même les tee-shirts. *La Joconde* a été imitée, copiée, détournée dans l'art du XXe siècle, voire caricaturée ou dénaturée. Elle a, comme aucun autre tableau, inspiré les écrivains et les scientifiques en quête d'une signification nouvelle. Aussi le regard du public a-t-il changé au fil des siècles. Jusqu'au XVIIe siècle, *La Joconde* était considérée comme l'un des plus grands chefs-d'œuvre de l'art du portrait ressemblant. D'innombrables artistes se sont inspirés de sa composition dans leurs propres œuvres.

Mais c'est au XIXe siècle qu'est né le « mythe de la Joconde », apparu en même temps qu'un culte du génie rendu à Léonard de Vinci. *La Joconde* est devenue

Andy Warhol,
La Joconde (détail),
1963
Sérigraphie acrylique
sur toile apprêtée
320 x 208,5 cm
Collection particulière

l'incarnation de l'Éternel Féminin. Une fois, elle personnifiait la vertu, puis devenait la femme fatale qui envoûtait le spectateur avec un sourire de sphinx, tout en incarnant la froideur.

Le culte de *La Joconde* atteignit un sommet provisoire lorsqu'en 1911 le tableau fut dérobé par un ouvrier italien. Le vol et la récupération spectaculaire du tableau firent les unes du monde entier. Parmi les avant-gardistes du XXᵉ siècle, la réputation croissante du tableau déclencha une réaction de rejet. *La Joconde* devint le symbole de l'art des musées, poussiéreux et traditionnel, contre lequel les dadaïstes et les surréalistes firent croisade. Ainsi l'artiste français Marcel Duchamp signa-t-il une estampe bon marché qui la représentait avec des moustaches et un bouc, puis il écrivit en dessous les lettres LHOOQ qu'il faut lire « elle a chaud au cul ». Marcel Duchamp commenta ainsi son œuvre a posteriori : « L'étrange avec cette moustache et ce

Fernando Botero,
La Joconde, 1978
Huile sur toile
187 x 166 cm
New York,
Marlborough Gallery

bouc est que, quand on y regarde de près, la Joconde devient un homme. » Fernand Léger eut l'idée de lui ajouter dans un de ses tableaux une boîte de sardines et un trousseau de clés pour créer le plus fort contraste possible. Loin de tuer l'aura de ce tableau, de telles attaques ne firent qu'accroître sa renommée. Le peintre colombien Fernando Botero, qui traduisit nombre d'œuvres célèbres dans son style aux formes rebondies, a déclaré : « *La Joconde* est si

À droite :
Marcel Duchamp,
L.H.O.O.Q., 1919
Aquarelle sur estampe
19,7 x 12,4 cm
Philadelphie, Museum of Art

À gauche :
Fernand Léger,
La Joconde aux clés, 1930
Huile sur toile
91 x 72 cm
Biot, musée Fernand Léger

populaire qu'elle ne peut plus être, et depuis longtemps, une œuvre d'art. Elle est comme une star ou un joueur de football. »

L'artiste américain Andy Warhol, fondateur du pop art, réalisa, comme dans beaucoup de ses travaux, un nombre illimité de tirages sur le thème de ses adaptations de *La Joconde*. Ses sérigraphies du portrait nous mettent sous les yeux la façon dont le flot des reproductions engloutit la singularité de l'original. Il est aujourd'hui devenu quasi impossible d'avoir une perception de *La Joconde* dénuée de tout a priori. Le tableau menace de devenir un cliché et son charme s'efface comme celui d'une chanson trop souvent écoutée.

Retour à Milan

1506–1512

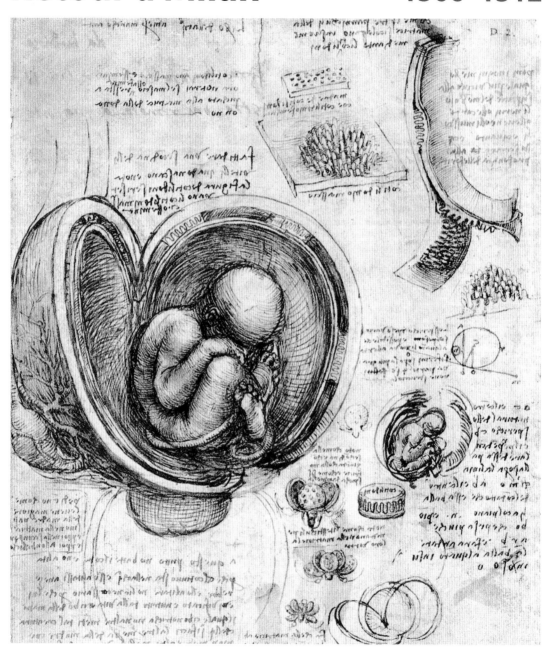

Sur pression du roi de France, Louis XII, le gouvernement florentin envoie Léonard de Vinci à Milan, bien qu'il n'ait, et de loin, pas terminé *La Bataille d'Anghiari* au palais Vecchio. À Milan, ville gérée par le gouverneur français Charles d'Amboise, toutes sortes de tâches attendaient le maître. Hélas, de toutes les toiles peintes à cette époque, il ne nous est parvenu qu'une seule œuvre majeure : la *Sainte Anne*, dont la composition préoccupait Léonard depuis de longues années. Il dut plusieurs fois se rendre à Florence pour régler des querelles d'héritage avec ses demi-frères. Durant ces années, Léonard mène aussi des études très poussées d'anatomie et dissèque des cadavres dans un hôpital de Florence. Le mystère du corps humain le fascine de plus en plus et notamment celui de l'origine de

La première montre de gousset, 1510

1508 Le géographe allemand Martin Waltseemüller baptise pour la première fois le Nouveau-Monde « Amérique », en souvenir du navigateur Amerigo Vespucci.

1509 Henri VIII monte sur le trône d'Angleterre et inaugure son règne par de grandes réformes.

1510 Le Suisse Peter Henlein crée la première montre, dotée d'une seule aiguille.

1511 Érasme publie l'*Éloge de la folie* à Paris. Les navigateurs portugais colonisent les côtes malaises et assurent ainsi au Portugal le monopole des épices.

Francesco Melzi, l'ami de Léonard

1506 Fin mai, Léonard revient à Milan, occupée par les troupes françaises.

1507 Il passe l'hiver chez le Florentin Piero di Braccio Martelli, dans la maison duquel vit aussi le sculpteur Gianfrancesco Rustici.

1508 Retour à Milan.

1510 Début de sa collaboration avec l'anatomiste Marcantonio della Torre. Il travaille à sa *Sainte Anne*.

1511 Mort, en mars, du gouverneur français de Milan, Charles d'Amboise. Léonard travaille à un projet de monument équestre pour le maréchal Gian Giacomo Trivulzio.

1512 Retrait des Français de Milan. Léonard, sans contrat, séjourne longuement dans la propriété de campagne de la famille Melzi.

À gauche :
Dessin d'anatomie : Embryon dans le ventre maternel,
1510-1512
Dessin à la plume, encre de chine brune, lavis
30,4 x 22 cm
Windsor, Royal Library

À droite :
École de Léonard,
Buste de Flore,
XVIe siècle
Sculpture en cire
Hauteur : 67,5 cm
Berlin, Staatliche Museen zu Berlin, Preussischer Kulturbesitz, Skulpturengalerie

Au service du roi de France

Léonard de Vinci a probablement rencontré le roi de France, Louis XII, dès 1499, lors de l'entrée des Français à Milan pour y détrôner la dynastie des Sforza. Mais il ne tira vraisemblablement de cette rencontre aucune commande d'œuvre d'art et quitta Milan pour Florence. Ce qui ne l'empêcha pas de revenir en mai 1506 dans la capitale de la Lombardie, à l'invitation du gouverneur français, Charles d'Amboise. Il est probable que la possibilité de quitter Florence ne lui déplaisait guère car il rencontrait de graves difficultés techniques dans

André Solario,
Charles d'Amboise,
vers 1500
Huile sur bois
75 x 52 cm
Paris, musée
du Louvre

Charles d'Amboise, qui représentait le roi de France à Milan, fut un commanditaire de Léonard durant ses deux séjours milanais et lui transmit également les commandes du roi. Ce portrait a été réalisé par Solario, l'un des plus célèbres artistes de l'école milanaise de Léonard.

Chaîne des Alpes,
vers 1513
Sanguine
10,5 x 16 cm
Windsor, Royal
Library

Les dessins et les textes de Léonard trahissent sa passion pour la montagne. En faisant allusion au squelette humain, il appelait les rochers « les os de la terre ». Dans ses excursions en montagne, il observait les amas rocheux et les changements de lumière et d'atmosphère. Ces études furent le fondement de son art du paysage.

l'exécution de *la Bataille d'Anghiari* qui lui avait été commandée pour le palais Vecchio. Originellement, son séjour à Milan était limité à trois mois car les membres du conseil municipal de Florence le pressaient de terminer sa peinture murale estimant que Léonard de Vinci « ne s'était pas conduit vis-à-vis de la République comme il eût été souhaitable, ayant empoché une forte somme d'argent et n'ayant réalisé qu'une petite partie de la grande œuvre qui lui avait été commandée, faisant ainsi preuve d'une bien grande lenteur ». Mais ce ne fut pas seulement pour ce motif mais aussi pour y régler des questions d'héritage que l'artiste regagna Florence. Nous n'avons que peu d'indications sur son activité artistique lors de son second séjour milanais. Léonard déclare dans une lettre qu'il a presque terminé deux vierges commandées par le roi de France. Louis XII appréciait en effet beaucoup sa peinture. Il déclara à un ambassadeur florentin : « C'est un bon maître et j'aimerais avoir plusieurs choses de sa main… Certains petits tableaux de la Vierge et quelques autres choses selon mon bon plaisir. Peut-être lui demanderais-je aussi d'exécuter mon portrait. » Lorsque le roi Louis XII entra à Milan en 1507, c'est Léonard qui prit en main l'organisation des festivités. Les distractions qu'il savait organiser pour ce genre d'événement étaient en effet célèbres. C'est ainsi qu'il fit par exemple construire pour le roi de France un lion mécanique pouvant faire quelques pas et s'ouvrant ensuite pour découvrir un poitrail empli de lys. Léonard devint donc « peintre et ingénieur ordinaire » et put mener grand train, ce qu'il faisait déjà en tant que conseiller artistique et technique sous la tutelle de Ludovico Sforza. Mais les travaux que lui confiait le gouverneur lui laissaient suffisamment de temps libre pour continuer à s'intéresser à ses études. Plus que pour les questions techniques, il se passionnait à l'époque pour l'anatomie humaine et la géologie. On découvre dans ses notes qu'il entreprit de nombreux voyages à des fins scientifiques. Ainsi s'intéressa-t-il aux différentes couches géologiques des massifs montagneux, ce qui lui permit de découvrir des coquillages fossiles dans des régions à l'époque fort éloignées des côtes. Il en déduisit qu'elles avaient dû être autrefois recouvertes par la mer.

En ce qui concerne sa vie privée, il fit durant ces années une rencontre capitale. Francesco Melzi (1493-vers 1570), un jeune aristocrate dont les parents possédaient des terres autour de Milan, entra comme élève dans son atelier. C'est ainsi que ce jeune homme très doué devint l'un des plus proches amis de Léonard.

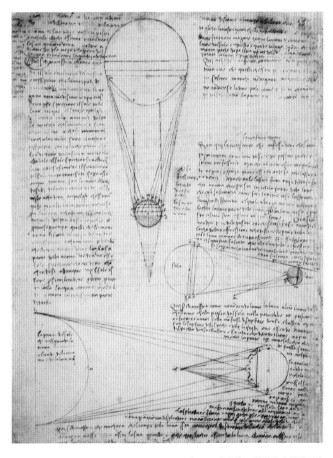

Dessins astronomiques (détail), vers 1507
Dessin
Codex Hammer, Seattle, collection de Bill Gates

Léonard s'intéressa aux domaines scientifiques les plus variés et on trouve, mêlés à ses dessins, des notes et des schémas qui nous renseignent sur ses recherches.

Le corps humain

L'intérêt manifesté par Léonard de Vinci pour l'anatomie du corps humain trouve son expression directe dans sa peinture. Pour pouvoir représenter les hommes de la façon la plus réaliste et la plus parfaite, tant dans leur aspect extérieur que dans leurs mouvements, il ne se contenta pas d'approfondir son observation du corps à travers des études de nus mais il tenta de comprendre son architecture intérieure,

le jeu des os, des muscles et des tendons. Au fil du temps, son intérêt pour l'anatomie se transforma en une branche importante de ses recherches et il lui consacra beaucoup de temps. Il se représentait l'organisme humain comme une machine merveilleusement conçue dont il voulait comprendre le fonctionnement. Les écrits de Galien, un médecin de l'Antiquité dont les ouvrages constituaient les

fondements de la médecine contemporaine de Léonard, ne pouvaient que partiellement satisfaire sa curiosité. Il entreprit donc de chercher une réponse aux questions les plus diverses : « Imagine : d'où proviennent le catarrhe, les larmes, l'éternuement, le bâillement…, la folie, le sommeil, la faim, le désir, la colère ; comment ces sentiments s'expriment-ils dans le corps, d'où proviennent aussi la peur, la fièvre la maladie…, imagine… comment la nourriture est-elle charriée par les veines – d'où proviennent l'ivresse… les rêves… ? » Certains dessins très finement travaillés et d'une grande exactitude datent des années 1480 comme, par exemple, des dessins de crâne. Après 1506, il travailla avec le professeur d'anatomie, Marcantonio della Torre. Il dut apparemment prendre sur lui pour assister à des

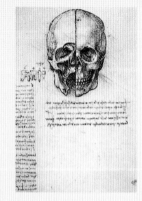

Dessin d'anatomie : coupe de crâne humain, vers 1489
Plume et encre de chine
19 x 13,7
Windsor, Royal Library

dissections de cadavres. Il écrit en effet : « Et si tu es prédisposé à ce genre de choses, alors peut-être parviendras-tu à ne pas vomir ; et si tu ne crains pas la peur en te retrouvant la nuit en compagnie de morts découpés en morceaux, écorchés et épouvantables à voir, et si tout cela ne te répugne pas, alors c'est peut-être le talent de dessinateur qui te fera

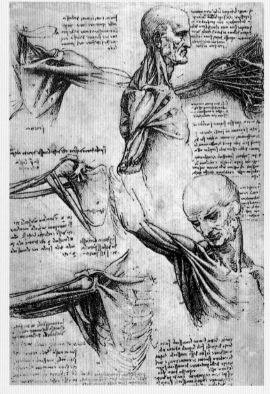

À gauche :
Dessin d'anatomie : études d'épaule, vers 1510
Plume et encre de chine, lavis sur craie noire
29,2 x 19,8 cm
Windsor, Royal Library
À droite :
Dessin d'anatomie : études de squelette,
vers 1510
Plume et encre de chine, lavis
28,8 x 20 cm
Windsor, Royal Library

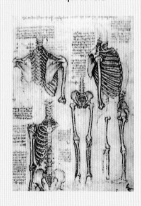

défaut… » Des connaissances médicales étaient bien sûr indispensables. « Mais il faudra t'attendre à être déçu par ce que tu verras, à cause de cette confusion créée par ces entrelacs de peaux, de veines, d'artères, de nerfs, de tendons, de muscles, d'os et de sang. » Léonard tentait par le dessin de mettre un peu d'ordre dans ce qu'il voyait. Par le biais de coupes, de vues de détail et de dessins effectués sous différents angles, il parvint à comprendre nombre de particularités de l'anatomie. Ses dessins sont – malgré beaucoup d'erreurs de détail – d'une remarquable clarté. Il s'intéressa aussi à l'origine de la vie. Son célèbre *Dessin d'un embryon dans le sein de sa mère* (voir p. 66) n'a pas pour origine la dissection d'un cadavre humain mais d'une vache. De ce qu'il vit, il imagina ce qui se passait chez la femme. Lorsqu'à Rome le pape interdit à Léonard les dissections de cadavres, il utilisa des cœurs de bœufs pour poursuivre ses études sur la circulation sanguine. Il n'existe que peu de contemporains de Léonard de Vinci dont le savoir sur le corps humain soit comparable au sien.

Dessin d'anatomie : étude des principaux organes et du système artériel d'un torse féminin, vers 1507 Plume et encre de chine, sur craie noire et papier brun 47,6 x 33,2 cm Windsor, Royal Library

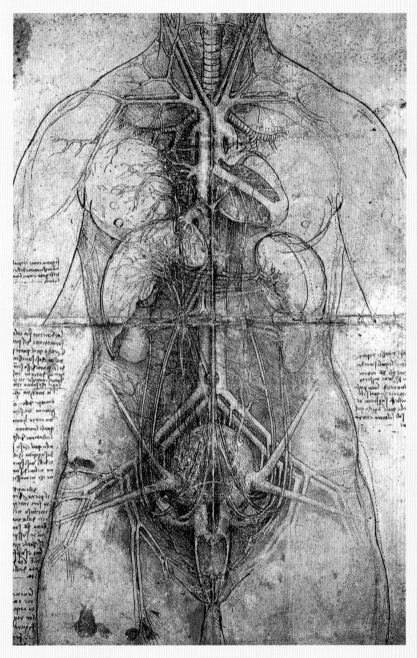

Œuvres plastiques

À l'inverse de Michel-Ange, Léonard de Vinci n'a jamais travaillé le marbre. L'idée d'avoir à dégrossir ces blocs massifs qui plaisaient tant à Michel-Ange, était à l'opposé de son tempérament artistique. La peinture était et resta pour Léonard le premier de tous les arts. Lorsqu'il s'adonnait à la sculpture, il choisissait des matériaux malléables tels que l'argile, la cire ou le bronze, qui lui permettaient de modeler petit à petit son personnage. Aucun de ses grands projets de sculpture ne vit le jour et, parmi les œuvres plastiques que nous avons conservées, aucune ne peut lui être attribuée avec certitude. Mais, grâce aux esquisses, aux écrits et aux œuvres de son entourage, on peut néanmoins se faire une idée de l'activité plastique de Léonard. Il a très certainement reçu une formation de sculpteur dans l'atelier de son maître

Andrea del Verrocchio qui excellait tant en peinture qu'en sculpture sur bronze. D'après ce que raconte Vasari, il a dans sa jeunesse modelé des têtes de femmes et d'enfants rieurs. Il se peut que ces sculptures n'aient été que des travaux préparatoires pour des peintures car beaucoup de peintres de la Renaissance se servaient d'études en argile ou en plâtre comme modèle pour peindre et étudier les ombres, les lumières, les proportions et les attitudes sans avoir à utiliser un modèle vivant. Léonard de Vinci lui-même révèle dans ses notes sur

Études pour le Monument Trivulzio, 1508-1511 (fac-similé)
Plume et aquarelle brune sur papier gris grossier
28 x 19,5 cm
Windsor, Royal Library

Gian Francesco Rustici, **Groupe de cavaliers,** 1495 Figurines en terre cuite Florence, Museo Nazionale del Bargello

La Bataille d'Anghiari (voir p. 60) l'existence de petites figurines de cire qu'il a utilisées pour représenter les chevaux et les cavaliers du tableau. Une statuette en terre cuite du musée de Budapest nous donne une idée de ce qu'étaient ces figurines et peut-être a-t-elle été façonnée de la main de Léonard. L'énergie du mouvement qui se dégage de ce cheval cabré rappelle son projet de monument équestre. Nous avons pu par ailleurs conserver d'autres groupes de sculptures de petit format en provenance de l'atelier du sculpteur florentin Gian Francesco Rustici, qu'on peut probablement rattacher aux travaux préparatoires de *La Bataille d'Anghiari* ; ce qui est d'autant plus vraisemblable que Léonard fut, durant l'hiver 1507, hébergé dans la même maison que Rustici et le conseilla pour l'élaboration de son groupe en bronze représentant Saint Jean et destiné au baptistère de Florence. Quelque temps plus tard, le maréchal Gian Giacomo Trivulzio commanda à Léonard de Vinci pour son tombeau une statue équestre monumentale. Ce fut à nouveau pour Léonard l'occasion rêvée de réaliser ce qu'il n'avait pu mener à bien lors du projet de monument équestre des Sforza (voir p. 30-31). À la différence du monument des Sforza, le *Monument Trivulzio* n'était pas prévu en plein air mais devait être érigé à l'intérieur d'une chapelle, et à taille humaine. Léonard dessina plusieurs propositions avec un socle richement ouvragé. Un devis détaillé laisse supposer que le projet définitif était censé comporter, à côté de la statue équestre, de nombreux personnages, et le socle de nombreux reliefs. Mais Trivulzio perdit le pouvoir en 1512 et il ne

fut plus question de monument. Durant sa vie, Léonard concevra trois projets de monument équestre : une commande de Ludovico Sforza, une de Gian Giacomo Trivulzio et, vers la fin de sa vie, une dernière de François Ier. Or, chacun des ces trois projets ambitieux échouera pour des raisons extérieures à sa volonté. Le plus extraordinaire, dans les projets de Léonard, n'est

pas seulement sa perfection dans la représentation des chevaux, l'animal noble par excellence, mais avant tout la conception dynamique du groupe constitué par le cheval et son cavalier. Il faudra attendre la période baroque pour retrouver une énergie semblable. Parmi les travaux incontestablement attribués au cercle de Léonard de Vinci, on trouve un buste de femme en cire

représentant Flore, la déesse des fleurs et des plantes (voir p. 67). La ressemblance entre ce personnage souriant et quelques personnages féminins de ses tableaux est très forte. Alors que certains chercheurs la tiennent pour un original fortement restauré ou une œuvre contemporaine de Léonard, d'autres n'y voient qu'un faux du XIXe siècle.

École de Léonard,
Statuettes de cavaliers,
1506-1508
Figurines en terre cuite
23,5 cm de haut
Budapest, musée des Arts plastiques

La Vierge, l'Enfant Jésus et sainte Anne

Masaccio,
Madone à l'enfant et sainte Anne,
1420-1425
Détrempe sur toile
175 x 103 cm
Florence, Galleria degli Uffizi

Masaccio a représenté ses personnages de face et l'un derrière l'autre, dans la tradition des icônes byzantines.

Carton pour la Vierge, l'Enfant Jésus et sainte Anne, 1499
Fusain et craie sur carton
141,5 x 104,6
Londres, National Gallery

Les personnages paraissent ici plus statiques que dans la toile ultérieure. Les têtes de sainte Anne et de Marie sont presque au même niveau. À la place de l'agneau, symbole de la Passion, est figuré Jean enfant, celui qui, plus tard, baptisera le Christ.

Comme pour beaucoup d'œuvres de Léonard, les sources sont rares et contradictoires : le contrat de *La Vierge, l'Enfant Jésus et sainte Anne* fut-il passé par le roi de France en 1499 après l'invasion de Milan ? Ou Léonard commença-t-il cette œuvre plus tard, à Florence, en la destinant à un retable pour les moines de SS. Annunziata ? Toujours est-il que Léonard travailla longtemps à ce tableau et exécuta plusieurs projets de versions différentes. Il conçut la dernière, celle du tableau que nous connaissons, alors qu'il séjournait pour la seconde fois à Milan, à partir de 1506, et probablement sur commande du roi de France Louis XII ; mais dans ses dernières années, Léo-

nard travaillait encore au vêtement de Marie. Les projets pour *La Vierge, l'Enfant Jésus et sainte Anne* excitaient la curiosité du public et Vasari raconte qu'à peine le premier carton terminé, « pendant deux jours, hommes et femmes, jeunes et vieux défilèrent dans l'atelier pour contempler l'œuvre étonnante de Léonard, qui plongea le peuple entier dans la stupéfaction. »

Le titre de l'œuvre en italien, *S. Anna Metterza*, sonne bizarrement à nos oreilles d'aujourd'hui. Il signifie que trois générations sont représentées sur le tableau : sainte Anne, sa fille Marie et l'enfant Jésus. Anne y symbolise l'Église chrétienne, tandis que Marie personnifie l'amour maternel. Elle se penche en avant pour empêcher son fils de jouer avec l'agneau, cet animal symbolisant la passion et la crucifixion du Christ.

On notera la jeunesse des deux femmes qui ressemblent plus à deux sœurs qu'à une mère et sa fille. Le psychanalyste Sigmund Freud a proposé une intéressante interprétation : Anne et Marie personnifieraient le souvenir que l'artiste avait de ses deux mères : sa mère biologique et sa belle-mère.

Peut-être retrouve-t-on dans le sourire maternel de nombre de ses visages de femmes, le souvenir de cette mère perdue trop tôt.

La Vierge, l'Enfant Jésus et sainte Anne,
1506-1513
Huile sur bois
168 x 130 cm
Paris, musée du Louvre

Si l'on compare ce tableau aux premières versions, on constate que Léonard a fondamentalement changé la disposition des personnages et donné au paysage davantage d'importance. La composition est fondée sur une suite de mouvements qui s'interpénètrent. Les gestes et les regards créent le lien entre les personnages tandis que leurs membres semblent constituer une chaîne. À partir de sainte Anne, calme et intériorisée, se développe une diagonale de formes souples et douces. Malgré cette composition stricte, le groupe reste naturel et détendu. Cette idée de personnages occupant l'espace, que Léonard substitua au traditionnel motif des personnages assis, était nouvelle et inhabituelle pour l'époque. Il n'y a guère que chez Raphaël, Michel-Ange, Andrea del Sarto ainsi qu'un petit groupe d'artistes importants qu'on retrouve autant de variations dans l'art de la composition.

Le sfumato

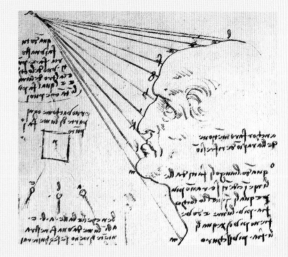

Le sfumato de Léonard est au fond un concept artistique pour peindre ce qu'on ne voit pas : l'air qui nous sépare des choses. On pourrait essayer de traduire le mot italien sfumato par « brume ». En réalité, on désigne ainsi une particularité des toiles de Léonard difficile à exprimer par des mots bien qu'elle saute aux yeux. Il est encore plus difficile d'expliquer comment il est parvenu à créer cet effet. Les historiens de l'art de la Renaissance détournèrent le sens du mot *sfumare* pour décrire cette imperceptible atténuation des valeurs colorées et des contrastes d'ombre et de lumière dans un tableau. Léonard de Vinci lui-même fait remarquer dans des notes sur l'art de la peinture que l'ombre et la lumière doivent s'interpénétrer sans qu'on puisse déceler de frontières nettes ou de degrés, comme si un voile très fin entourait les objets et les êtres. C'est dans *La Vierge, l'Enfant Jésus et sainte Anne* qu'il a le mieux maîtrisé ce procédé. On ne distingue aucun contour net, aucun contraste fort, aucun passage brutal de l'ombre à la lumière. Des ombres légères glissent sur les visages et modèlent les traits avec douceur. Ainsi les formes conservent-elles

Ci-dessus :
Effet de lumière sur un profil masculin (détail), 1487-1490
Dessin (fac-similé)
Florence, Gabinetto dei Disegni e delle Stampe

Ci-dessous :
L'Annonciation (détail), vers 1470-1473
Huile et détrempe sur bois
Florence,
Galleria degli Uffizi
(voir p. 15)

toute leur plasticité sans pour autant apparaître dures. L'effet sfumato se fait aussi sentir dans le paysage. Les sommets rocheux des montagnes semblent émerger d'un léger brouillard, se mêlant à la couleur de l'eau, et font la transition avec le ciel. On peut lire sous la plume de Léonard : « Je crois que le bleu, qui est la couleur sous laquelle l'air nous apparaît, n'est pas sa couleur réelle mais que cela provient d'une humidité constituée d'un brouillard de fines gouttelettes chaudes et imperceptibles qui interceptent les rayons du soleil… Quiconque fera comme moi l'ascension du Monboso, un sommet des Alpes, pourra constater ce phénomène… » Les effets d'ombre très doux sur les visages proviennent aussi de son observation de la nature : « Regarde aussi autour de toi dans les rues, le soir, au crépuscule, et

observe les visages des hommes et des femmes lorsque le temps est mauvais : comme ils sont gracieux et doux. » De fait, on ne trouvera jamais dans un tableau de Léonard un rayon de soleil ou un ciel dégagé. Afin d'obtenir ce sfumato, Léonard travaillait avec de fines et minces lasures de couleurs à l'huile qu'il étendait prudemment sur des fonds de couleurs plus sombres. Il perfectionna cet art de travailler par superpositions infinies de couleurs à un point tel qu'on ne peut plus distinguer le moindre trait de pinceau. Les restaurateurs ont décelé qu'il a même utilisé ses doigts et ses paumes. Le sfumato de Léonard fut une véritable révolution et son influence fut si considérable dans la technique de la peinture qu'elle se fait sentir jusque dans l'art du clair-obscur de Rembrandt. Jusqu'alors, les peintres travaillaient en séparant

nettement les valeurs de couleurs ; les différents objets étaient bien distincts les uns des autres et se détachaient sur le fond. La ligne avait, dans l'art florentin, plus d'importance que la couleur. Avec le sfumato, au contraire, on a l'impression que tous les objets sont solidaires. Premier plan et arrière-plan appartiennent à une continuité de l'espace. Une légère imprécision fait apparaître les objets insaisissables et presque irréels. L'écrivain André Malraux a estimé que Léonard, qui avait gommé les contours et les limites des choses dans un lointain d'un bleu crépusculaire… avait ainsi créé un espace, comme jamais encore on en avait vu en Europe ; un espace qui n'a plus de réalité physique mais qui entraîne le personnage et le spectateur au plus profond de lui-même pour le faire glisser dans l'infini.

La Vierge, l'Enfant Jésus et sainte Anne (vue d'ensemble et détails), 1506-1513
Huile sur bois
168 x 130 cm
Paris, musée du Louvre

Les dernières années

Âgé de 61 ans, Léonard de Vinci fut contraint de déménager à nouveau car il n'avait plus de perspective de travail à Milan une fois les Français partis. Il se rendit à Rome en passant par Florence. La Ville Éternelle connaissait à cette époque un essor artistique sans précédent. Les papes de la Renaissance investissaient des sommes colossales dans les œuvres d'art et l'architecture. Rome devint la métropole dominante de l'art où Michel-Ange et Raphaël donnaient le ton. Léonard, lui, ne tenait plus guère son pinceau. Ses contemporains le regardaient, étonnés et légèrement dubitatifs, se consacrer à ses expériences scientifiques. Et finalement, il entreprit le plus long voyage de sa vie sur invitation du roi de France.

Il passera les dernières années de sa vie à la cour de François Ier, respecté et admiré. Dégagé de toutes contraintes extérieures, il dessinera de temps à autre un projet de costume ou une esquisse architecturale.

À gauche :
Autoportrait
(peut-être un faux du
XIXe siècle), vers 1513
Dessin, 33,2 x 21,2 cm
Turin, Biblioteca Reale

À droite :
**Saint Georges et
le dragon,** 1515
Dessin
Windsor, Royal
Library

**Cortés envahit
l'empire aztèque**

**Léonard de Vinci
vieux**

1513 Le navigateur espagnol Vasco Nuñez découvre l'océan Pacifique qu'il nomme mer du Sud.

1514 Copernic affirme pour la première fois sa théorie selon laquelle la Terre tourne autour du Soleil.

1515 La Suisse proclame une éternelle neutralité.

1517 Martin Luther affiche à Wittenberg ses quatre-vingt quinze thèses, fondant ainsi la Réforme.

1519 Charles Quint est sacré empereur et déclare : « Sur mon empire, le soleil ne se couche jamais. » Hernán Cortés envahit Mexico avec des troupes espagnoles et commence la conquête de l'empire aztèque.

1513 Le 24 septembre, Léonard quitte Milan en compagnie de Melzi, Salai, Il Fanfoia et Lorenzo, et arrive à Rome en décembre. Le Vatican met un atelier à sa disposition dans le palais du Belvédère.

1516 Mort de son mécène, Giuliano de Médicis. Léonard quitte Rome.

1517 Arrivée en France sur invitation de François Ier. Léonard vit avec son ami Melzi dans le petit château de Cloux, près d'Amboise. Visite du cardinal Luigi d'Aragona qui relate que la main droite de l'artiste serait paralysée.

1519 Léonard fait son testament. Il meurt le 2 mai à Amboise, à l'âge de 67 ans ; il sera inhumé dans la collégiale Saint-Florentin.

À Rome, la cité des papes

Léonard de Vinci arriva à Rome en décembre 1513. Il apportait avec lui quelques tableaux inachevés et ses cahiers, dont le nombre avait déjà dépassé la centaine. Giuliano de Médicis, le frère du pape, lui fit aménager des appartements dans le palais du Belvédère, au Vatican, et lui fit verser une rente mensuelle. Léonard ne semble pas avoir joué de rôle important dans la Ville éternelle. Le maître vécut relativement isolé à la cour papale, parmi les jeunes peintres et sculpteurs. La ville de Rome était devenue à l'époque le point de convergence des artistes de l'Europe tout entière. Au Moyen Âge, on avait utilisé les ruines romaines comme de vulgaires carrières au milieu desquelles broutaient les vaches. En 1417, après le retour d'exil des papes en Avignon, la ville s'était lentement réveillée et avait repris de son lustre d'antan. Le mécénat des papes n'en avait pas été la moindre cause et la Réforme luthérienne ne se privait pas d'en stigmatiser le gaspillage. En effet, les hommes qui occupaient le trône de Saint Pierre n'étaient guère des exemples de piété humble mais façonnaient leur époque par le goût du pouvoir et des œuvres d'art. Jules II, qui avait posé la première pierre de la reconstruction de la cathédrale Saint-Pierre et avait fait venir à Rome des artistes comme Raphaël, Michel-Ange et Bramante, mourut en 1512. Son successeur, Léon X, reprit

Esquisse d'une façade d'église, vers 1515
Dessin
21,3 x 15,2 cm
Venise, Galleria dell'Accademia

Léonard a choisi pour cette façade d'église la forme classique des architectes de la Renaissance et l'organise en rythmant l'alternance des éléments larges et étroits. L'esquisse ressemble aux projets de Michel-Ange pour la façade de San Lorenzo à Florence que lui avait commandée le pape Léon X.

Vieil Homme (détail d'une feuille d'esquisses), vers 1513
Dessin à la plume (fac-similé)
Florence, Cabinet des dessins et des estampes

Mélancoliquement appuyé sur sa main, le vieil homme regarde dans le lointain. Il ressemble à un philosophe antique ou à un patriarche. Il est probable que ce dessin illustre assez bien l'humeur de Léonard durant son séjour à Rome, même s'il ne s'agit pas d'un autoportrait au sens propre du terme.

L'église Saint-Pierre de Rome,
photographie

Raphaël,
Le Pape Léon X
(détail), 1517-1518
Huile sur bois
155,2 x 119 cm
Florence, Palazzo Pitti

Le pape Léon X était le fils de Laurent le Magnifique, donc membre de la famille des Médicis. Il passait pour un homme cultivé, aimant les arts et ne refusant aucun des plaisirs de l'existence. Raphaël était son artiste préféré. Ce portrait, l'un des derniers de la main de Raphaël, représente le pape en amateur d'art, regardant à la loupe un manuscrit décoré d'enluminures.

le flambeau du mécénat. Léonard de Vinci ne semble pas en avoir profité. Vasari rapporte la remarque ironique du pape lorsque Léonard, alors qu'on venait de lui commander un tableau, commença par distiller le vernis : « Bon sang ! en voilà un qui pense à la fin avant d'avoir commencé le travail ! » On n'a, hélas, que peu de détails sur les occupations romaines de Léonard, très certainement agacé par l'interdiction pontificale de disséquer des cadavres. Il fut en effet contraint de poursuivre ses études d'anatomie en disséquant des cadavres d'animaux et s'occupa des lois de la pesanteur et de la quadrature du cercle. On lit dans ses notes qu'il ne cessait de houspiller ses aides négli-

gents qu'il jugeait infidèles. Si l'on en croit Vasari, il surprenait volontiers ses visiteurs avec d'étranges jeux qui provoquaient plus la frayeur que l'amusement. Il bricolait des animaux gonflables avec des boyaux qu'il modelait avec des vessies gonflées d'air jusqu'à ce qu'ils remplissent la pièce. Il enferma dans une boîte une sauterelle apprivoisée qu'il avait accoutrée d'un déguisement de dragon avec ailes et cornes.

Lorsqu'en 1516 mourut son mécène, Giuliano de Médicis, Léonard décida qu'il n'avait plus aucune raison de rester dans la Ville éternelle et accepta l'invitation de François Ier qui venait de monter sur le trône de France l'année précédente.

La pré-Renaissance à Rome

Qui souhaite s'initier à l'art de la pré-Renaissance doit aller à Florence, tandis que celui préférant la Renaissance ira à Rome. En un laps de temps très court, environ vingt ans, s'y sont développés des cycles de création picturale, plastique et architecturale fort dynamiques, qui ont pour leurs contemporains constitué la perfection en matière artistique. C'est pourquoi on peut difficilement déceler une unité de style dans ce qu'on appelle la Renaissance, tant sont différentes des artistes qui marquèrent cette époque. Tandis que Léonard de Vinci fut productif surtout à Milan et à Florence, Michel-Ange et Raphaël créèrent leurs œuvres majeures à Rome.

On peut trouver deux raisons au fait que Rome devint le centre de la Renaissance : c'est là qu'on a retrouvé le plus grand nombre d'œuvres antiques qui constitueront une source d'inspiration majeure, mais ce sont surtout les papes Jules II et Léon X qui, par leurs largesses et leurs commandes, ont assuré l'aisance matérielle des plus grands artistes de leur époque. Lorsque Léonard de Vinci arriva à Rome en 1513, Michel-Ange venait de terminer sa fresque monumentale décorant le plafond de la Chapelle Sixtine. Raphaël travaillait depuis 1508 avec ses élèves à la réalisation des *Stances*, une suite de pièces dans le palais du Vatican. Une de ces peintures murales les plus connues est *l'École d'Athènes*. Le *Tempietto* de Bramante, un bâtiment panoptique aux formes héritées de l'Antiquité, est l'un des édifices classiques de la Renaissance. Que pouvaient donc avoir de singulier et de commun à la fois toutes ces œuvres ? L'art de la Renaissance se caractérise par un souci d'harmonie universelle et d'équilibre. L'harmonie ne signifie pas un calme statique mais un jeu vivant avec les contraires qu'on organise dans un tout qui les englobe. On peut en distinguer les effets dans un personnage comme *la Sibylle de Delphes* de Michel-Ange. Les différentes orientations des regards et des mouvements sont organisées en fonction d'une forme repliée sur elle-même. Comme chaque personnage de Michel-Ange, ce personnage de la sibylle jeune exprime une dignité et une assurance intérieures. Sa beauté n'est pas celle de n'importe quelle jolie fille prise au hasard, mais une beauté idéale, éternelle. Les personnages délicats et gracieux de la pré-Renaissance sont remplacés pendant la Renaissance par une image de l'homme puissant et sûr de lui. La proximité de la nature, la beauté idéale et la clarté

Michel-Ange,
Le Jugement dernier
(détail : Saint Barthélémy),
1537-1541
Fresque
Vatican, Cappella Sistina

Ci-contre :
Michel-Ange,
Fresque du plafond de la Cappella Sistina : la Sibylle de Delphes, 1509
Fresque (détail)
Vatican, Cappella Sistina

> *J'en suis arrivé à penser pour l'instant que la nature vue par Michel-Ange ne me convient pas car je ne peux pas la contempler avec d'aussi grands yeux.*

Johann Wolfgang von Goethe

Tempietto à Saint-Pierre de Montorio,
Rome, construit en 1502 par Bramante, photographie

Raphaël,
L'École d'Athènes (détail),
1509-1511
Fresque
Vatican, Stanza della Segnatura

spirituelle s'unissent dans l'art de cette époque au travers d'œuvres qui feront fonction de modèles jusqu'au XIXe siècle. On ne trouve, dans les œuvres de la Renaissance, ni détails anecdotiques, ni formes décoratives ou exagérées. Chaque œuvre d'art se suffit à elle-même et constitue dans une certaine mesure un univers autonome. Sur le plan du contenu, les travaux de l'époque se caractérisent par une aspiration au spirituel. Les artistes tentent de dépasser les thèmes religieux traditionnels en approfondissant leur contenu spirituel. Les peintures de Raphaël telles que les *Stances* embrassent l'ensemble de l'univers de la pensée antique et chrétienne. Dans celle qu'on appelle l'*École d'Athènes* apparaissent les plus connus des philosophes de l'Antiquité qui, avec des gestes mesurés mais signifiants, discutent devant des décors architecturaux. Au centre, Platon, vieillard à barbe blanche, désigne le ciel d'un geste typiquement léonardien. On a coutume, depuis le XIXe siècle, d'estimer que Raphaël a voulu, à travers ce personnage, faire le portrait de Léonard de Vinci. On reconnaît Michel-Ange dans un homme aux cheveux bruns, accoudé,

pensif, sur un bloc de marbre. À gauche du tableau apparaît sous les traits d'Euclide, le maître d'œuvre Bramante qui, entouré d'élèves, dessine des figures géométriques sur une tablette, à l'aide d'un compas. Raphaël lui-même n'est pas très loin; on le reconnaît dans le second personnage à partir du bord gauche du tableau. Mais la mort de Raphaël en 1520 devait marquer le déclin de la phase romaine de la Renaissance. Ce que devait encore créer Michel-Ange, et jusqu'à un âge très avancé,

dans les années qui suivirent, s'éloigna toujours plus de l'équilibre classique de la Renaissance et déboucha sur l'époque contrastée et riche en tensions du maniérisme, concept qui a conservé, mais à tort, une consonance péjorative. Les pressions auxquelles était soumis Michel-Ange par ses commanditaires, qui exigeaient sans cesse de nouvelles œuvres, sont très nettement perceptibles dans son autoportrait peint sur la peau d'écorché de saint Barthélémy dans son *Jugement dernier*.

La dernière toile

Saint Jean-Baptiste,
1513-1516
Huile sur bois
69 x 57 cm
Paris, musée du Louvre

Des clichés aux rayons X ont permis d'établir qu'il s'agit d'une œuvre de la main de Léonard. On retrouve les caractéristiques de sa technique : ni coups de pinceau décelables ni dessin préparatoire.

Saint Jean-Baptiste est le seul tableau que nous ayons conservé de la période romaine de Léonard de Vinci et probablement le dernier qu'il ait lui-même réalisé. Plus il avançait en âge, moins Léonard peignait, ses autres centres d'intérêt prenant le pas sur sa peinture. On doit cependant tenir compte du fait qu'il cherchait à atteindre la perfection et qu'il mettait très longtemps à terminer ses œuvres. Il est clair dans le *Saint Jean-Baptiste*, que le perfectionnisme de Léonard peut dans une certaine mesure nuire au charme qui se dégage du tableau. Nombre de ses inventions en matière de technique picturale trouvent dans cette œuvre une application magistrale : le sfumato qui enveloppe d'un voile les traits doux et presque féminins du personnage, la transition imperceptible entre les ombres et les lumières qui parviennent à modeler le corps sans aucun tracé plastique, l'équilibre dans l'attitude et la gracieuse inclinaison de la tête. Le mystérieux sourire et le geste signifiant de la main, qui sont presque devenus l'une des caractéristiques de la peinture de Léonard, participent à l'atmosphère qui se dégage de ce tableau. Au fond, cette œuvre apparaît comme une illustration des écrits théoriques du maître. Il n'a dans aucun autre de ses tableaux aussi magistralement exprimé sa théorie de l'ombre et de la lumière. On peut en effet lire dans ses écrits : « L'ombre a plus de puissance que la lumière… la lumière ne peut jamais complètement effacer l'ombre, du moins sur les corps qui ne sont pas translucides. » Il écrit ailleurs : « L'ombre est composée d'une obscurité infinie et d'une infinie gradation dans les dégradés de cette obscurité… L'ombre est le moyen qui permet aux corps de prendre forme. » C'est ce que nous permet d'observer le personnage de saint Jean. Des ombres profondes modèlent le visage, l'enveloppent comme de la soie et semblent l'extraire de l'obscurité. Giorgio Vasari avait déjà noté la maîtrise de Léonard dans le clair-obscur : « … comment dans sa recherche du noir, il tente d'en trouver un qui soit plus noir que les autres… mais finalement sa peinture deviendrait si sombre qu'elle ne contiendrait plus aucune lumière… mais cela n'arrive que pour donner plus de relief aux objets et pour atteindre la perfection. » Il est difficile d'appréhender la signification exacte du *Saint Jean*. Le bâton cruciforme et la peau de bête correspondent à l'iconographie chrétienne traditionnelle. Dans la Bible, saint Jean-Baptiste est présenté comme un prophète du désert, vêtu de peaux de bêtes et qui se nourrissait de sauterelles. Le geste de la main qui désigne le ciel est aussi une allusion biblique car saint Jean-Baptiste annonce la venue du Christ. Mais le personnage de Léonard est tout sauf un anachorète chrétien. Son sourire est moqueur, presque ironique. Son corps, à demi dénudé, a la beauté de la jeunesse et son rayonnement érotique a incité nombre d'historiens de l'art à y voir plutôt un portrait de Bacchus, le dieu du Vin. Ce personnage illustre probablement par ses traits androgynes l'idéal de beauté de Léonard.

Peut-être aussi trouve-t-on dans ces traits le reflet de la personnalité mystérieuse de l'artiste qui, vis-à-vis de l'extérieur, se montrait toujours amical et d'humeur égale mais dont personne ne savait quels conflits intérieurs l'agitaient. Lorsque Léonard quitta Rome en 1516 ou 1517, il emporta son *Saint Jean-Baptiste* en France et le conserva jusqu'à sa mort.

Bacchus,
1510-1515
Huile sur bois,
transférée sur toile
177 x 115 cm
Paris, musée du
Louvre

Originellement,
Léonard a dû avoir
le projet de peindre
saint Jean-Baptiste dans le désert. Par la suite, probablement encore du vivant de l'artiste, le prophète chrétien est devenu le dieu du vin antique. Ce n'est qu'au XVIIᵉ siècle qu'on ajouta la couronne de pampre, le bâton et la peau de panthère. Le contraste entre le corps clair et les rochers sombres est caractéristique de la peinture de Léonard. Le mauvais état de conservation du tableau rend difficile l'identification des parties réalisées de la main du maître.

La fascination de l'eau

On trouve dans ses notes des projets non seulement de machines d'attaque sous-marine et de bateaux à aubes mais aussi d'instruments pratiques dont une montre à eau pour mesurer le débit des canaux. On le voit s'intéresser, dans des centaines d'esquisses, à l'hydraulique et plus particulièrement aux flux aquatiques. Léonard a également réalisé des expériences en vue d'étudier comment l'eau réagit sur les obstacles, comment se forment les tourbillons et les remous. Il a tenté de restituer graphiquement les forces invisibles qui gouvernent les éléments, l'orientation des courants et leurs

Dans la vision du monde qu'avait Léonard de Vinci, l'eau jouait pour la terre le même rôle que le sang dans le corps humain : elle coule en cycle ininterrompu sur et sous la terre. Des artères souterraines, elle jaillit des sources et remplit les cours des rivières et des fleuves, s'accumule dans les lacs et se jette dans la mer. Elle s'évapore et constitue les nuages pour retomber sur terre sous forme de pluie. Beaucoup de ses cartes géographiques comme la carte du val de Chiana, selon une perspective dite « vue d'oiseau » ressemblent à des dessins d'anatomie. L'analogie entre le microcosme du corps

humain et le macrocosme de la Terre est un concept qui renvoie à l'Antiquité. Léonard tentait par le biais de ce modèle conceptuel d'organiser en système les différents phénomènes qu'il observait dans la nature. Le thème de l'eau traverse toute l'œuvre de Léonard telle un leitmotiv, les œuvres artistiques comme les recherches scientifiques. L'eau est toujours présente dans les paysages de ses tableaux. On trouve des cascades dans le premier dessin que nous ayons conservé de lui (voir p. 9) et, parmi ses travaux les plus tardifs, on trouve une série de visions de déluges et de pluies torrentielles. L'idée de Léonard de contrôler

l'eau et de la rendre utile s'exprime dans nombre de ses projets (construction de canaux et assèchement de marais), qui l'ont occupé durant ses dernières années. C'est ainsi qu'il a, lors de son séjour romain, travaillé à des plans pour assécher les marais pontins et, qu'une fois en France, il avait prévu un réseau de canalisations pour assécher la région marécageuse autour de Romorantin.

Déluge-chaussures

L'eau érode les montagnes et remplit les vallées, si elle le pouvait elle transformerait la Terre en une boule parfaitement ronde.

Léonard de Vinci

Vision de déluge,
vers 1515
Craie noire, encre brune
et jaune (fac-similé)
16,2 x 20,3 cm
Florence, Gabinetto dei
Disegni e delle Stampe

modifications en les comparant à des boucles de cheveux emmêlés. La puissance destructrice de l'eau le fascinait également. Il a en effet eu plusieurs fois l'occasion d'assister aux crues dévastatrices de l'Arno. Il semblerait que l'impuissance des hommes face à une telle force de la nature se soit gravée dans sa mémoire de façon indélébile. Il décrit en effet, en les dramatisant de façon inhabituelle dans ses textes, ses visions d'inondation : « On voit comment la puissance des courants est capable de dénuder des

pans entiers de montagne, de les abattre, d'en obstruer les vallées et de faire monter le niveau des retenues pour noyer de vastes plaines et tous ceux qui les habitent. » On peut lire dans un autre texte : « … et la mer démontée par la tempête lutte et se bat avec le vent qui affronte ses vagues tumultueuses ; elle se dresse en lames sauvages et retombe puis se rue à nouveau face au vent… » Dans ses derniers dessins d'inondation, Léonard a donné forme à cet imaginaire. Les feuilles couvertes de dessins à la craie noire comptent parmi

Études de courants (détail
d'une feuille d'esquisses),
vers 1513
Dessin à la plume (fac-similé)
Florence, Gabinetto dei
Disegni e delle Stampe

ses derniers travaux et constituent une série qui se suffit à elle-même. Ce n'était probablement pas des dessins préparatoires à un quelconque tableau mais des travaux personnels ne correspondant à aucune commande. Il y restitue de façon saisissante la puissance inquiétante avec laquelle l'eau se joue des obstacles. Cependant, alors que les hommes assistent impuissants au déploiement de cette force

de la nature, l'eau crée par ses vagues et ses tourbillons un spectacle d'une ornementale beauté. L'eau en tant qu'élément, constitue pour Léonard de Vinci l'un des principes fondamentaux de la nature : la métamorphose et le mouvement perpétuel. « Et sur les plaines d'Italie, au-dessus desquelles les oiseaux volent aujourd'hui en formation, nageaient autrefois de grands bancs de poissons. »

À la recherche des œuvres perdues

École de Léonard
(Giampetrino),
Salvator Mundi,
1503-1504
Huile sur toile
Detroit, Institute of Arts

Raphaël,
Léda et le Cygne,
1506-1513
(Dessin préparatoire)
Dessin à la plume
30,8 x 19,2 cm
Windsor, Royal Library

Personne ne peut dire avec exactitude le nombre de tableaux peints par Léonard de Vinci en personne. Parmi ceux qu'on lui a généreusement attribués, la recherche contemporaine en accepte vingt-cinq dont un tiers d'inachevés et dont certains restent contestés. À partir de ses notes et de ses dessins comme à partir de copies d'époque, les historiens de l'art ont pu établir, avec une minutie de détective, qu'il en existe une douzaine dont l'original a été perdu. Les copies de tableaux n'étaient pas chose rare au XVIᵉ siècle car, avant l'invention de la photographie, il n'existait pas d'autre moyen de reproduire une toile en couleurs. Aussi beaucoup d'amateurs d'art commandaient-ils de bonnes copies d'œuvres célèbres pour enrichir leur collection. Pour ces œuvres, l'attribution à tel ou tel artiste pose généralement un problème délicat et souvent impossible à résoudre. Aussi a-t-on coutume de parler d'œuvres de l'école de Léonard, ce qui ne veut pas dire que l'œuvre provienne d'un élève du maître au sens propre du terme mais tout simplement qu'elle a été exécutée dans le style

de Léonard. Il existe par ailleurs beaucoup de tableaux de la période tardive de Léonard qui ne sont pas de sa main mais dont les différentes versions ont été exécutées sous le contrôle du maître d'après ses esquisses. Ainsi la participation de Léonard aux nombreuses versions, de factures différentes, de *La Madone au fuseau* est-elle aujourd'hui très discutée. Le fuseau de la

jeune femme songeuse, qui regarde le Christ enfant, symbolise par sa forme en croix la passion du Christ. *La Léda* compte parmi les œuvres majeures aujourd'hui perdues de Léonard. Nous la

École de Léonard,
Léda, 1504-1510
Huile sur toile
112 x 86 cm
Rome, Galleria Borghese

connaissons à travers ses nombreuses copies qui se différencient par leurs différents arrière-plans. Il est possible que, dans la toile de Léonard, seuls Léda et le cygne aient été achevés. Raphaël a lui aussi dessiné une très belle esquisse de la femme et de l'oiseau et utilisé le personnage de Léda dans un de ses tableaux. Le mythe antique de Léda raconte que le père des dieux, Jupiter, avait séduit la belle Léda sous la forme d'un cygne. De cette union naquirent deux jumeaux, Castor et Pollux, ainsi que leur sœur Hélène qu'on voit dans le tableau sortir de leur œuf.

Léonard utilise pour le personnage de Léda une position classique appelée *figura serpentinata* dans des sens différents. Ce motif compte parmi les modèles de composition les plus importants dans l'art de la Renaissance et sera poussé à l'extrême dans le maniérisme.

Un autre tableau perdu de Léonard et dont il existe une douzaine de copies, est fort différent à la fois dans sa signification et sa conception. Il présente le Christ bénissant et tenant dans la main une boule de verre symbolisant le monde. La position frontale du personnage, inhabituelle chez Léonard, s'explique par la tradition dans le traitement de ce sujet. Le motif du *Salvator Mundi* – mot à mot : le sauveur du monde, le

rédempteur – remonte aux icônes byzantines et à ce qu'on appelle la *Vera Icon*, la vraie face du Christ, telle qu'elle s'est imprimée sur le voile de sainte Véronique. Le tableau de Léonard

semble avoir été d'une extraordinaire intensité, d'un pouvoir de séduction presque surnaturel, qu'on devine encore à travers certaines des copies.

École de Léonard, **Madone au fuseau,** vers 1501 Huile sur bois 48,3 x 36,9 cm Thornhill, collection du duc de Buccleuch, château de Drumlaring

En France

Comme son prédécesseur Louis XII, le jeune roi François Ier appréciait beaucoup l'art italien et il attira à sa cour de nombreux artistes venus d'Italie. Il laissa toute liberté créative au vieux Léonard de Vinci et mit à sa disposition tout ce qu'il désirait. Il installa le maître, qui venait d'arriver à la suite d'un voyage de plusieurs mois en compagnie de son ami Melzi,

dans le petit château de Cloux, à côté de son propre château d'Amboise, sur les bords de la Loire. Vingt ans plus tard, devant le sculpteur italien Benvenuto Cellini, le roi s'enthousiasmait encore pour le génie incomparable de Léonard avec lequel il avait tant aimé s'entretenir d'art et de philosophie. Le maître n'entreprit plus de grande œuvre durant son séjour en France. Sa main droite était paralysée mais il pouvait continuer à dessiner de la main gauche et déléguait la peinture à son élève Melzi. Les derniers dessins de Léonard sont délicats et aériens, comme de fugitives visions oniriques. On a aussi conservé des projets de costumes imaginatifs et élégants pour les mascarades de la cour et les tournois qui laissent penser que son rêve d'ériger un jour un monument équestre ne l'avait pas abandonné (voir p. 30 et 72). Le dernier projet d'architecture de Léonard fut un château à Romorantin qui, à cause du terrain marécageux, exigea les plans de tout un réseau de canaux de drainage et qui finalement ne fut jamais réalisé. Les historiens pensent que les plans de Léonard, dont il

École de Léonard, **Le Château d'Amboise,** 1517
Sanguine
18,4 x 12,7 cm
Windsor, Royal Library

Probablement s'agit-il d'un dessin de Francesco Melzi, l'ami de Léonard. Il s'agit en effet de la vue d'une des fenêtres du dernier domicile du maître, le château de Cloux.

Animal fantastique
(détail), vers 1513
Dessin à la plume
Windsor, Royal Library

Toute sa vie durant, Léonard a créé des costumes pour les mascarades et des décors pour le théâtre : à la cour de Ludovico Sforza d'abord, puis à Milan et enfin en France. Mais ses derniers dessins comptent parmi les plus fantastiques et les plus beaux.

Dessin d'une nymphe, 1516
Dessin à la craie brune, 21 x 13,5 cm
Windsor, Royal Library

Le personnage possède la grâce de la prérenaissance et le charme mystérieux de beaucoup des créations de Léonard.

Dessin d'un jeune homme, vers 1516
Dessin
20 x 14 cm
Windsor, Royal Library

Léonard, qui s'amusait souvent des extravagances de la mode, a conçu dans ce dessin un costume fantastique à manches flottantes.

Francesco Melzi,
Flore, 1517-1520
Huile sur bois
73 x 63 cm
Saint-Pétersbourg, musée de l'Ermitage

Flore, la déesse des fleurs et des plantes, contemple, l'air rêveuse, le rameau fleuri qu'elle tient à la main. On remarquera dans ce visage de femme souriante et aux traits fins l'incontestable et forte influence de Léonard sur son élève et ami Francesco Melzi.

ne nous reste que de sommaires esquisses, ont influencé certains châteaux de la Loire comme Chambord ou Blois.

Au printemps 1518, son état de santé s'aggrava. « Le roi qui l'aimait beaucoup et lui rendait souvent visite vint… chez lui. Léonard, très honoré, se redressa et parvint à s'asseoir dans son lit, décrivit son état, se repentit devant Dieu et les hommes de ne pas avoir, en tant qu'artiste, réalisé tout ce qu'il aurait dû. Cette fatigue aggrava son état et il entra dans le coma. Le roi se leva et lui tint la tête pour tenter d'apaiser ses souffrances. »

Ce récit de Vasari racontant la mort de Léonard dans les bras de François Ier est trop légendaire pour être vrai, d'autant que le jour de la mort de l'artiste, le roi n'était vraisemblablement pas à Amboise. Léonard mourut le 2 mai 1519 et Melzi écrivit au beau-frère de Léonard : « Il ne m'est pas possible d'exprimer la peine que me provoque cette mort… car il me manifestait chaque jour l'amour le plus profond et le plus brûlant. Tout le monde vit dans l'affliction provoquée par la perte d'un tel homme dont on peut se demander s'il est encore dans le pouvoir de la nature d'en produire un autre. » Léonard de Vinci fut inhumé dans la collégiale Saint-Florentin à Amboise, ainsi qu'il l'avait demandé dans son testament. Des circonstances malheureuses firent qu'on a perdu la trace de sa tombe. Légendes et mystères entourent sa mort comme ils ont entouré sa personne et son œuvre. À la fin de sa vie, trois œuvres majeures de ce génie de la Renaissance se trouvaient encore en sa possession : *la Joconde*, *Sainte-Anne* et *Saint Jean-Baptiste*. On peut aujourd'hui les contempler au Louvre qui possède la plus important collection de toiles de Léonard.

Glossaire

Al fresco Fresque (de l'italien *fresco* : frais) Peinture murale dans laquelle la couleur est apposée sur un enduit à la chaux encore frais et qui, en séchant, devient indissociable de son support.

Allégorie (du grec *allegoria* : représenter autrement) Représentation figurative de concepts abstraits au moyen d'une représentation imagée, la plupart du temps par le biais d'une personnification (c'est-à-dire sous la forme de personnages humains) ou de situations les mettant en scène.

Anatomie (du grec *anatemnein* : disséquer) Désigne en médecine la science qui, notamment par la dissection, étudie la structure du corps humain. Dans le domaine artistique, l'anatomie repose essentiellement sur l'étude d'après nature et d'après le nu pour comprendre le fonctionnement du corps humain et le jeu des muscles dans les différents mouvements du corps. Les artistes de la Renaissance ont conçu un intérêt scientifique particulier pour l'étude des proportions anatomiquement exactes des différentes parties du corps humain et pour un rendu naturaliste de la musculature.

Antiquité L'époque gréco-romaine débuta environ au IIe siècle av. J.-C. et se termina au Ve siècle ap. J.-C. Pour la Renaissance et les époques postérieures, les écrits et les œuvres d'art de l'Antiquité constituèrent d'importants modèles.

Aquarelle Couleur à l'eau qui ne devient pas couvrante en séchant et reste ainsi légère et douce.

Autoportrait Portrait de l'artiste par lui-même.

Buste Sculpture le plus souvent posée sur un socle et qui représente la partie supérieure du torse d'un être humain, limité à la tête et aux épaules.

Cinquecento (mot italien signifiant « cinq cents ») Désigne le XVIe siècle.

Composition (du latin *compositio*) Construction formelle d'une œuvre obéissant à certains principes qui peuvent être les rapports entre la forme et la couleur, la symétrie et l'asymétrie, le mouvement, le rythme, etc.

Concetto (mot italien signifiant « concept ») Projet de contenu d'une œuvre.

Condottiere (mot italien signifiant « chef ») Chef de soldats ou de mercenaires dans l'Italie des XIVe et XVe siècles.

Contour Ligne peinte ou suggérée par un fort contraste de couleurs et cernant un objet ou un personnage.

Contraste En peinture, on distingue les contrastes d'ombre et de lumière, les contrastes de couleurs, les contrastes entre les tons chauds et les tons froids, les contrastes complémentaires et les contrastes simultanés.

Dessin Souvent le projet d'un tableau ou d'une sculpture, le dessin peut constituer une œuvre en soi. C'est la transposition la plus directe d'une idée artistique par le média de l'image.

Détrempe ou tempera (de l'italien *temperare* : mélanger) Au Moyen Âge et à la Renaissance (jusqu'à l'apparition de la peinture à l'huile), la technique la plus utilisée en peinture. Le liant utilisé permettait de diluer les couleurs avec de l'eau mais devenait imperméable une fois sec.

Fac-similé (du latin *fac simile* : fais une chose semblable) Reproduction fidèle à l'original, la plus semblable possible, d'un document, par exemple d'un manuscrit ou d'un dessin, le plus souvent par un procédé mécanique.

Gouache Technique de peinture à l'eau qui, au contraire de l'aquarelle, n'est pas transparente mais devient couvrante au séchage. L'adjonction de liants et de blanc couvrant permet d'obtenir des effets pastels et des à-plats veloutés.

Maniérisme (de l'italien *maniera*, style, manière) Époque entre la Renaissance et le Baroque qui s'étend environ de 1520-1530 jusqu'à 1620. Le maniérisme a conservé les idéaux d'harmonie élaborés pendant la Renaissance : art des proportions et de la composition. La peinture de cette époque se caractérise par une dynamisation des scènes représentées dans les tableaux, un allongement des corps humains et une représentation des personnages anatomiquement contorsionnés, une extrême complexité de la composition, un éclairage irrationnel et fortement théâtralisé, de même qu'une émancipation par rapport au lien objectif entre la couleur et les objets.

Mine d'argent Crayon en cuivre, laiton ou bronze au bout duquel est soudé une pointe d'argent et dont l'utilisation demande un papier spécialement préparé. Utilisé en tant qu'instrument pour dessiner dès le XIVe siècle, cet outil qui permet de tracer des traits légers et gris clair ayant tous la même intensité a été utilisé au cours du XVe siècle pour créer des dessins réalisés entièrement par son intermédiaire.

Motif L'objet ou le thème principal de l'œuvre (par exemple : le paysage).

Palette Plateau ovale ou réniforme sur lequel le peintre mélange ses couleurs. Au sens large : ensemble des couleurs utilisées par un artiste.

Paysage Représentation de la nature. Le paysage ne fut originellement qu'accessoire, un fond sur lequel étaient « posés » les personnages, et ne devint un thème en soi qu'à la fin du XVIe siècle. Au XVIIe siècle apparut ce qu'on appela le « paysage idéalisé » comme, par exemple, les paysages transfigurés de Claude Lorrain et les « paysages héroïques » comme, par exemple, dans les vues paysagères à fort contenu symbolique de Nicolas Poussin. Le baroque hollandais constitua l'âge d'or du paysage. L'apparition de la peinture de plein air devait constituer une révolution dans l'art du paysage.

Peinture à l'huile Technique de peinture dans laquelle les pigments de couleurs sont liés avec de l'huile. La peinture à l'huile est souple, sèche lentement et peut facilement être mélangée. Apparue au XVe siècle, elle constitue depuis cette époque la technique de référence en peinture.

Peinture sur panneau Par opposition à la peinture murale, peinture qui peut s'exécuter sur un support mobile. Jusqu'au XVe siècle, on peignait généralement sur des panneaux de bois (d'où son nom) puis par la suite sur des toiles tendues sur des cadres.

Perspective (du latin *perspicere* : regarder au travers) Représentation d'un objet, d'un personnage ou d'un espace sur une surface en deux dimensions mais qui, grâce à la technique du dessin ou de la peinture, donne une impression de profondeur de champ.

Perspective chromatique Moyen de rendre l'effet de perspective en jouant sur les différents effets de profondeur suggérés par les tons chauds et les tons froids. Ainsi le bleu suggérera le lointain en arrière-plan tandis que le rouge et le jaune seront utilisés dans les premiers plans pour suggérer une impression de proximité.

Perspective linéaire Établie de façon scientifique à la Renaissance et transposée en peinture et en sculpture. La perspective linéaire, généralement centrale, est suggérée par un point de fuite placé au centre de la ligne d'horizon où se rejoignent les lignes de fuite. Les objets et les personnages sont construits proportionnellement à leur éloignement de l'horizon, selon les lignes de fuite qui correspondent au prolongement géométrique de leurs formes jusqu'au point de fuite et qui donc les rapetissent au fur et à mesure qu'ils se rapprochent de l'horizon.

Plastique Désigne la part importante de la peinture et de la sculpture qui a trait au rendu des formes en trois dimensions.

Point de fuite Voir perspective linéaire

Portrait Représentation d'un être humain. On distingue les autoportraits, les portraits simples, doubles et les portraits de groupe.

Profil Représentation du front au menton d'une tête vue de côté, de telle sorte que les contours du visage se détachent nettement du fond.

Proportion Rapports qu'entretiennent en sculpture, en peinture et en architecture les dimensions et la masse des objets pris isolément avec l'ensemble de l'œuvre.

Renaissance (de l'italien *rinascimento*, renaissance) Mouvement né en Italie et qui s'est progressivement étendu à l'Europe entre le XVe et le XVIe siècle. Cette dénomination renvoie au concept de *rinascita* (renaissance) élaboré en 1550 par Giorgio Vasari (1511-1574) et qui marque la rupture avec l'art du Moyen Âge. Par le biais de l'humanisme, qui en référence aux modèles hérités de l'Antiquité suggère la formation d'un homme nouveau tourné vers la nature et le monde d'ici-bas, se développe entre autres la référence à un *uomo universale* possédant tous les dons du corps et de l'esprit. C'est aussi l'époque où les arts plastiques passent du rang de métier manuel à celui d'art au sens noble, ce qui permet une amélioration du statut des artistes et une plus grande conscience de leur valeur. Les arts et les sciences entretiennent des liens étroits et leur influence est mutuelle, comme par exemple le développement de la perspective mathématiquement calculée ou l'anatomie fondée sur les découvertes médicales.

Retable (de l'espagnol *tabla* : planche) Œuvre qui, au Moyen Âge, décorait le plus souvent un autel. Les autels étaient initialement décorés de travaux d'orfèvrerie ou de statuettes et le furent par la suite de panneaux peints. Il peut s'agir d'un panneau ou de plusieurs (triptyque) qui sont généralement disposés sur la partie postérieure surmontant verticalement la table.

Sarcophage (du grec *sarkophagos* : qui détruit les chairs) Coffre de bois ou de pierre dans lequel on déposait le cadavre du défunt. Ceux des personnages importants étaient richement ouvragés.

Terre cuite Argile cuite non vernissée, qui servait de matériau depuis l'Antiquité pour élaborer des projets architecturaux ou plastiques. Elle fut également utilisée pour réaliser des reliefs, des objets et des sculptures de petite taille. Au XIXe siècle, elle fut particulièrement appréciée par les sculpteurs comme matériau pour les bustes (Auguste Rodin).

Vasari, Giorgio (1511-1574) Maître d'œuvre, peintre et écrivain italien. Ses *Vite* (vies) des artistes italiens (1550-1568) sont une source d'informations majeure pour les historiens d'art.

Vernis Substance liquide et transparente qu'on appose en couches pour protéger les tableaux ou les objets d'art.

Index

Reproductions dans les notices historiques et biographiques

Page 7, en haut à gauche
Mohammed lors de son entrée à Constantinople après la prise de la ville en 1453, XIXᵉ siècle

Page 7, en haut à droite
Andrea del Verrocchio, David (détail : la tête), Bronze
Florence, Museo Nazionale del Bargello

Page 17, en haut à gauche
Maître anonyme d'après un tableau de Bernhard Strigel, Maximilien Iᵉʳ, vers 1515
Huile sur bois
33 x 27 cm
Tolède, Museo de Santa Cruz

Page 17, en haut à droite
Sandro Botticelli,

Index des artistes

Crédits photographiques

1re de couverture :
Le Dame à l'hermine (Cecilia Gallerani),
1483–1490,
huile sur boir de noisetier,
54,8 x 40,3
Cracovie, musée Czartorsky

4e de couverture :
Portrait de Léonard de Vinci,
vers 1500,
dessin (fac-similé),
Milan, Ambrosiana

Frontispice :
Carton pour **La Vierge, l'Enfant Jésus et sainte Anne,**
1499,
fusain et craie sur carton,
141,5 x 104,6.
Londres, National Gallery

© 2005 Tandem Verlag GmbH
KÖNEMANN is an imprint and a trademark of Tandem Verlag GmbH

Edité par : Peter Delius
Conception de la série : Ludwig Könemann
Direction artistique : Peter Feierabend
Design de la couverture : Claudio Martinez
Lecture et maquette : Jana Hyner, Juliane Baron
Recherche iconographique : Jens Tewes, Florence Baret

Titre original : Leonardo da Vinci. Leben und Werk
ISBN 3-8331-1070-8 (de l'édition originale allemande)

© 2005 pour l'édition française : Tandem Verlag GmbH
KÖNEMANN is an imprint and a trademark of Tandem Verlag GmbH

Traduction de l'allemand : Alain Royer
Réalisation : Sarbacane, Marie-Hélène Albertini, Paris
Lecture : Charlie Lecach, Nice

Printed in Italy

ISBN 3-8331-1385-5 (de l'édition française)

10 9 8 7 6 5 4 3 2 1
X IX VIII VII VI V IV III II I